Classiques Larousse

Collection fondée par Félix Guirand, agrégé des lettres

Musset

On ne badine pas avec l'amour

proverbe

Édition présentée, annotée et commentée
par
DENIS A. CANAL
ancien élève de l'École normale supérieure
agrégé de l'Université

LAROUSSE

ISSN 0297-4479.
ISBN 2-03-871344-1.

Sommaire

PREMIÈRE APPROCHE

4 Musset, du rêve à la réalité
15 La création d'*On ne badine pas avec l'amour*
18 Les personnages et l'action de la comédie dramatique

ON NE BADINE PAS AVEC L'AMOUR

25 Acte premier
53 Acte II
81 Acte III

DOCUMENTATION THÉMATIQUE

116 Index des principaux thèmes de l'œuvre
118 Jeunes filles au couvent

ANNEXES

125 (Analyses, critiques, bibliographie, etc.)

154 PETIT DICTIONNAIRE POUR COMMENTER *ON NE BADINE PAS AVEC L'AMOUR*

Musset, du rêve à la réalité

Un fils de famille protégé des Muses (1810-1828)

De 1810 à 1828, le jeune Alfred de Musset connaît les succès faciles d'un fils de famille intellectuellement bien doué, à qui ne manquent par ailleurs ni l'argent ni la beauté.

Le bon élève

Alfred de Musset naît à Paris, sous le premier Empire, en décembre 1810, dans une famille aisée de petite noblesse provinciale. Son père, Victor de Musset-Pathay, tout comme son grand-père maternel, cultive avec passion les lettres ; on doit même à M. de Musset-Pathay une édition des œuvres de Rousseau (1712-1778), ainsi qu'une étude sur la vie et l'œuvre de cet écrivain genevois.

Une enfance apparemment heureuse, sans histoires autres que « le vert paradis des amours enfantines » (Baudelaire), avec une passion assez vive, semble-t-il, pour une jeune cousine, du nom de Clélie. Les études au collège Henri-IV, à partir de 1819, sont brillantes et couronnées de prix (dissertation française et dissertation latine) au concours général de 1827. La famille et le père fondent sur l'adolescent les meilleures espérances et l'on envisage même pour lui — vieux rêve des familles françaises pour les « chères têtes blondes » — l'École polytechnique.

La Muse au lieu du bicorne

Malheureusement, cette perspective n'enchante guère l'enfant prodige, qui refuse tout net. On tente de lui faire essayer des solutions de « rechange » : droit, médecine, musique, dessin.

Mais rien n'y fait. Les études sont aussitôt abandonnées qu'entreprises, au bénéfice de la littérature et de la vie de plaisirs.

La littérature est une passion déjà ancienne, puisque les premiers vers du jeune homme datent de ses 14 ans. Quant à la vie de plaisirs et de salons, les amis mondains qu'il s'est faits à Henri-IV la lui font découvrir. Il fréquente les « dandys » et devient rapidement l'un deux. Ces jeunes hommes à la mode allient à une élégance raffinée et à une vie très mondaine un ennui existentiel profond. Musset prend vite un goût très vif pour les femmes et l'alcool, tout en y acquérant une maturité sentimentale précoce et passablement factice. Son amour de la littérature le sauve encore pour l'instant : un ami de collège, devenu le beau-frère de Victor Hugo, Paul Foucher, l'introduit en 1828 dans le « Cénacle » romantique (voir p. 155 et 158) : pour Musset, l'auteur encore inconnu de *la Nuit* (1826), c'est l'éblouissement.

Une réception sous le règne de Louis-Philippe.
Dessin à la plume aquarellé d'Eugène Lami, 1832.
Musée du Louvre, Paris.

Les années d'insolence (1828-1832)

C'est une période d'intense exaltation intellectuelle pour le jeune poète, qui fait chez Nodier et Hugo ses « classes » de romantisme et connaît ses premiers succès publics en littérature.

La griserie du romantisme

Dans les salons de Nodier, à l'Arsenal, et du couple Hugo, rue Notre-Dame-des-Champs, Musset est reçu et fêté par la brillante jeunesse littéraire du romantisme : Vigny, Balzac, Dumas, Mérimée et Sainte-Beuve qui, à l'époque, ont tous une trentaine d'années. La jeune génération romantique, s'élevant contre le pouvoir de la seule raison, prône la libre expression du moi et de la sensibilité, revendique la fuite dans le rêve, l'exotisme, le fantastique, etc. Elle refuse les classifications littéraires rigides du classicisme et revendique notamment le mélange des genres, du trivial et du sublime, du tragique et du comique, etc.

Musset semble se lier plus particulièrement avec Vigny et Sainte-Beuve, les deux extrêmes de la génération. Il participe à toute la fièvre qui anime la nouvelle « école », où l'on prépare bientôt la « bataille d'*Hernani* », première représentation tumultueuse du drame de Victor Hugo où s'opposèrent les tenants du classicisme et la jeune génération romantique. Les facilités littéraires de Musset sont fêtées et il publie ses premiers travaux personnels importants : une traduction libre des *Confessions d'un Anglais mangeur d'opium* de Thomas De Quincey, mais surtout les *Contes d'Espagne et d'Italie* (1829-1830). Ce recueil, qui rencontre un grand succès, est un véritable pot-pourri des principaux thèmes du romantisme flamboyant alors à la mode et des procédés de versification les plus provocateurs. Cela ne va pas sans une certaine narquoiserie où l'on perçoit déjà une distance vis-à-vis des excès mêmes dans lesquels l'école romantique ne va pas tarder à tomber.

Accessoirement, la publication des *Contes* vaut à Musset et à son frère Paul, qui le soutient, d'être déshérités par une riche tante. Mais la situation financière des jeunes gens n'est pas sérieusement menacée par cet intermède tragi-comique.

En marge du romantisme

Comme beaucoup d'esprits trop intelligents pour être inconsciemment artistes, Musset est nourri aux lettres depuis trop longtemps pour ne pas apercevoir les défauts mêmes de ce qu'il aime — et de toute création intellectuelle, surtout à l'époque romantique. D'une certaine manière, les « Romantiques » sont trop sérieux et manquent passablement de distance et d'humour vis-à-vis d'eux-mêmes. Musset, au contraire, semble doué de cette distance à l'égard de soi, délice et poison de l'introspection lucide qui débouche facilement — c'est le danger — sur la dérision, voire le dégoût de soi-même. L'insolence de Musset à l'égard des dogmes du romantisme militant fait scandale parmi ses amis du Cénacle. L'indépendance du poète s'affirme de plus en plus à leur encontre. *Les Secrètes Pensées de Rafaël, gentilhomme français* et *les Vœux stériles* (1830) le montrent rêvant d'un retour à la beauté de la Grèce et du goût classique.

Contrairement à Lamartine, à Vigny et à Hugo, qui veulent engager la littérature aux côtés des luttes sociales, Musset refuse violemment ce qu'il considère comme un avilissement de la Muse au service de la « hideuse époque » de 1830. L'échec de Musset au théâtre (*la Nuit vénitienne,* 1830) contribue à accroître la distance, alors que Hugo fait un triomphe cette même année avec *Hernani*. L'année 1831 est marquée pour Musset par un relatif manque d'inspiration (il ne publie que deux contes en vers, *Octave* et *Suzon*).

La mort du père

Le 8 avril 1832, Victor de Musset-Pathay meurt de l'épidémie de choléra, qui fait vingt mille victimes à Paris. La date est cruciale pour Alfred de Musset : c'est d'abord un lien affectif et intellectuel ancien et profond qui disparaît ; mais c'est aussi la menace de l'insécurité financière qui pèse désormais sur le poète. Musset a été jusque-là « entretenu » par l'argent paternel, ce qui lui a permis de mener la belle vie des oisifs mondains et autres beaux esprits. Sans être réduit du jour au lendemain à la misère, il imagine la fortune de sa famille fortement compromise et se croit obligé de gagner au moins partiellement de quoi vivre avec sa plume : le dilettante des lettres, amusé et passionné, doit devenir un professionnel de la littérature.

Ses débuts au théâtre ayant été infructueux, Musset décide de publier une sorte de livraison périodique intitulée *Un spectacle dans un fauteuil* (1832), recueil de pièces destinées à la lecture plutôt qu'à la représentation. On trouve dans le premier volume un poème dramatique, *la Coupe et les lèvres,* ainsi qu'une comédie, *À quoi rêvent les jeunes filles,* et un long poème écrit assez rapidement, *Namouna.*

Douleurs et maturité littéraires (1832-1841)

Malgré l'accueil d'abord réservé de la critique, Musset va connaître neuf années de fécondité littéraire extraordinaire, au cœur desquelles se situe la grande crise passionnelle de sa vie : sa liaison avec George Sand (1833-1835). C'est à cette époque qu'il écrit *On ne badine pas avec l'amour.*

L'amour et la vie... au théâtre

Les œuvres constituant un *Spectacle dans un fauteuil* évoquaient les drames de l'amour, la recherche de la passion unique, la lutte de l'idéal et de la débauche, l'opposition de la courtisane et de la jeune fille pure. On y perçoit déjà cette obsession de la pureté perdue qui traverse une grande partie de l'œuvre du poète. Trois autres pièces, en 1833, *Andrea del Sarto, les*

Caprices de Marianne et surtout *Rolla* — l'histoire d'un jeune débauché qui reste idéaliste et ressemble peut-être beaucoup à Musset lui-même — reprennent et approfondissent ces thèmes et ces études. Musset s'y révèle véritablement hanté par le divorce entre l'amour idéal et la réalité de la passion, ses compromissions quotidiennes, son avilissement qui finit par tout corrompre. Ce n'est pourtant jusque-là qu'un libertin mondain, célèbre pour sa légèreté papillonnante et pour ses succès auprès des femmes. Il lui reste, semble-t-il, à découvrir la passion véritable et ses affres.

La liaison avec George Sand : « on ne badine pas avec l'amour »...

Au cœur de la vie et de la création de Musset, les deux années brûlantes de sa liaison avec George Sand (1833-1835) constituent, après la mort du père, l'autre point de non-retour dans l'évolution du poète.

Aurore Dupin, épouse Dudevant, a déjà à son actif un certain nombre d'amants affichés lorsqu'elle croise le chemin de Musset. Si la rencontre est littéraire et parisienne, comme il se doit (un dîner de *la Revue des Deux Mondes*), la passion semble bien réelle et atteint très vite de hauts sommets : folies parisiennes, séjour à Franchard (en forêt de Fontainebleau), consécration rêvée du « voyage en Italie », dans la grande tradition romantique.

Mais la vie prend alors une terrible revanche sur la littérature : la belle passion initiale se transforme en vaudeville dramatique à « Venise la rouge », naguère chantée par le même Musset. Le poète est atteint de la typhoïde en février 1834, George Sand le fait soigner, tout en le trompant avec le jeune et charmant médecin Pagello. Musset, guéri, revient seul à Paris, sa maîtresse étant restée à Venise avec le médecin. Une étonnante correspondance s'ensuit, avant que l'« infidèle » ne revienne en France... avec Pagello. Retrouvailles, brouilles. L'Italien repart pour Venise en octobre de la même année.

Jusqu'en mars 1835, Musset et Sand vont se déchirer dans une liaison cruelle et tumultueuse entrecoupée de querelles violentes et de réconciliations ; l'alcoolisme déclaré et la fragilité nerveuse du poète n'arrangent rien à une situation sentimentale et physique peu claire. Les deux amants rompus sortent bouleversés de cette spirale du drame passionnel : la réalité a vraiment dépassé la fiction...

Les fruits de la passion

Aussi paradoxal que cela puisse paraître, Musset n'est pas épuisé spirituellement par ces déchirements et ces tensions extrêmes. C'est pendant la liaison avec Sand, en 1834, qu'il crée *Fantasio,* qu'il écrit *On ne badine pas avec l'amour* et *Lorenzaccio*. La seule mention des deux derniers chefs-d'œuvre montre à quel point l'inspiration peut être stimulée chez Musset par ces moments de crise, puisqu'on leur doit l'une

Alfred de Musset et George Sand.
Dessin au crayon de Musset (coll. part.).

des deux grandes comédies dramatiques du romantisme (l'autre étant *les Caprices de Marianne*) et le seul vrai drame proprement « shakespearien » du théâtre français *(Lorenzaccio)*.

On ne doit pas attribuer à l'influence unique de la cruelle inspiratrice l'étonnante série d'œuvres qui suit et qui marque le « bouquet final » de la création de Musset. En effet, le poète ne reste pas longtemps inconsolable et plus d'une « Muse » — grande ou petite — viendra remplacer dans ses bras l'auteur d'*Indiana* et de *la Mare au diable :* Mme Jaubert (1835), Louise la modiste (1836), Aimée d'Alton, qui a vingt ans (1837), la tragédienne Rachel (1839) et bien d'autres encore. Naissent alors, en sept ans, les œuvres majeures de la poésie personnelle de Musset : *la Nuit de mai, la Nuit de décembre, la Loi sur la presse* et la *Lettre à Lamartine* sont de 1835 ; *la Nuit d'août, le Rideau de ma voisine* et les *Stances à la Malibran,* de 1836 ; *la Nuit d'octobre,* de 1837 ; *l'Espoir en Dieu,* de 1838 ; *Une soirée perdue,* de 1840 ; *le Rhin allemand, Tristesse* et *Souvenir,* de 1841. Musset compose également, par à-coups, des comédies et des proverbes (voir p. 15) — dont *Il ne faut jurer de rien,* en 1836 — et de brefs contes en prose.

Mais la situation matérielle et l'état de santé de Musset se détériorent avec rapidité, au fur et à mesure que l'alcool et la pleurésie augmentent leurs ravages, ruinant le corps et tarissant les sources d'inspiration du poète.

La fin du rêve (1842-1857)

Les dernières années de Musset sont tristes. L'homme est encore jeune, mais il paraît usé, de l'avis de tous les témoins de cette époque, et il semble accélérer encore les effets de l'usure dans une sorte d'avilissement volontaire ou de course à la mort. Est-ce désir d'en finir, lassitude de vivre, certitude confuse d'être arrivé au bout de ses possibilités et de ses ressources matérielles, morales et intellectuelles ?

La fin de Rolla

L'alcoolisme de Musset est de plus en plus accentué, malgré les remontrances de ses proches et de ses médecins : alcoolisme mondain des salons fréquentés, terriblement efficace par l'animation de surface qu'il procure et les ravages qu'il exerce en profondeur. Symboliquement (?) – mais l'on ne sait rien de plus à ce sujet –, Musset joue beaucoup aux échecs dans ces salons, où il se montre encore parfois le brillant causeur qu'il a été au temps de sa jeunesse. Les liaisons amoureuses – avec une actrice, Mme Allan ; avec la future maîtresse de Flaubert, Louise Colet – ne lui manquent pas non plus. Tout cela a pourtant bien des allures de fuite en avant ou d'une sorte de pantomime funèbre des plaisirs de la vie, ultime danse d'un jeune-vieux don Juan, avec la mort dans les poumons et dans le cœur.

Le Foyer de la danse à l'Opéra (détail),
représentant notamment A. de Musset (debout à gauche).
Dessin d'Eugène Lami, 1841 (coll. M. Imbert).

« Un feu qui s'éteint... »

Quelques lumières brillent dans ce naufrage : Musset compose encore des comédies et des proverbes (*Il faut qu'une porte soit ouverte ou fermée,* 1845 ; *On ne saurait penser à tout,* 1849) ; des poèmes (*Sur trois marches de marbre rose,* 1849 ; *Souvenir des Alpes,* 1852) ; des contes, enfin (*Histoire d'un merle blanc,* 1842 ; *Mimi Pinson,* 1846 ; *la Mouche,* 1853-1854).

Le nouveau régime de Napoléon III ménage quelques honneurs au poète oublié (élection à l'Académie française en 1852) et sauve sa situation matérielle en le nommant bibliothécaire au ministère de l'Intérieur (1853). Cela ne rehausse guère le prestige d'un poète déchu dont l'inspiration est irrémédiablement tarie. Musset meurt dans l'obscurité d'une fin de carrière ratée, à 47 ans, en 1857, l'année de la publication... des *Fleurs du mal* et de *Madame Bovary :*

« Et quand nous respirons, la mort dans nos poumons
Descend, fleuve invisible, avec de sourdes plaintes »

(Baudelaire).

Pour Musset aussi, c'est bien la fin de « l'intermittente lamentation de ce pauvre cœur, douce et indistincte, comme le dernier écho d'une symphonie qui s'éloigne » (Flaubert).

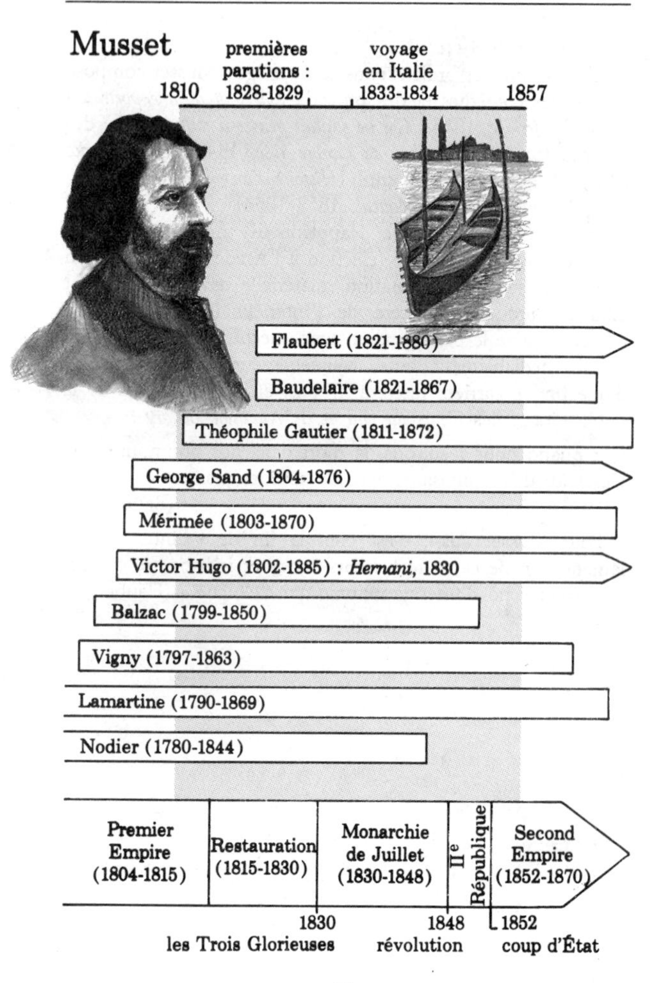
Musset
1810
premières parutions : 1828-1829
voyage en Italie 1833-1834
1857
Flaubert (1821-1880)
Baudelaire (1821-1867)
Théophile Gautier (1811-1872)
George Sand (1804-1876)
Mérimée (1803-1870)
Victor Hugo (1802-1885) : Hernani, 1830
Balzac (1799-1850)
Vigny (1797-1863)
Lamartine (1790-1869)
Nodier (1780-1844)
Premier Empire (1804-1815)
Restauration (1815-1830)
Monarchie de Juillet (1830-1848)
IIe République
Second Empire (1852-1870)
1830 les Trois Glorieuses
1848 révolution
1852 coup d'État

La création d'*On ne badine pas avec l'amour*

Qu'est-ce qu'un proverbe ?

La Revue des Deux Mondes publia *On ne badine pas avec l'amour* dans son numéro du 1er juillet 1834, avec le sous-titre de « Proverbe ». En littérature, le proverbe est un genre de petite comédie inventé, semble-t-il, au XVIIe siècle pour le plaisir des invités des divers salons qui se partagent les faveurs des gens de la bonne société : c'est un ensemble de saynètes (voir p. 159) que les invités peuvent jouer en guise de divertissement, une sorte de théâtre « de poche » ou « de chambre ». Le genre se développe avec la vie mondaine, fort brillante au XVIIIe siècle, surtout dans l'entourage du duc d'Orléans, de Mme de Pompadour, de la duchesse du Maine, etc.

On rencontre à cette occasion le nom de Carmontelle (1717-1806), ami du grand-père maternel de Musset, auteur de nombreux canevas à interpréter par les invités des salons : œuvrettes de circonstance, esquissées très rapidement, mais qui ne sont pas dénuées de vérités psychologiques. Après la Révolution, le genre reparaît dans les années 1820-1830, avec les œuvres d'un certain Théodore Leclercq. Même Vigny ne dédaigne pas de se consacrer épisodiquement au genre, puisqu'il donne à l'Opéra, en 1833, un proverbe intitulé *Quitte pour la peur*. L'emploi de ce terme annonce une pièce facile et amusante, qui se propose d'illustrer une vérité morale passée en proverbe et donnée dans le titre. L'intérêt pour le public sera alors de voir comment l'auteur s'y prend pour illustrer par l'intrigue et le développement la morale proposée dans le titre.

Une genèse incertaine

Il semble bien que Musset ait eu dans ses cartons un canevas de comédie intitulé *Camille et Perdican,* avant même le voyage en Italie, qui devait consacrer sa passion avec George Sand et se terminer si paradoxalement. Paul de Musset, le frère d'Alfred, publiera en 1861 le début de ce texte en vers, en

Venise, le Grand Canal à la hauteur du palais Foscari.
Peinture de Turpin de Crissé, 1838.
Musée des Beaux-Arts, Nantes.

affirmant qu'il a été écrit bien avant le proverbe dans l'état que nous connaissons.

On ne sait pas exactement jusqu'où allait vraiment cette première rédaction, remaniée ensuite en prose par l'auteur. Toujours est-il que, après le drame amoureux de Venise, Musset semble avoir été poussé par son entourage – qui connaissait son talent en la matière – vers un ouvrage de ce genre, pour le distraire des tourments psychologiques qu'il venait de vivre et peut-être aussi pour satisfaire aux exigences d'un éditeur qui avait déjà payé ce qu'on nommerait aujourd'hui un « à-valoir » substantiel sur une œuvre à venir.

S'il y a eu « couture » de deux rédactions, ce qui peut être sensible dans l'accélération du rythme et les modifications psychologiques à partir de la scène 5 de l'acte II (selon certains critiques), Musset s'est néanmoins soigneusement évertué, dans la rédaction définitive, à redonner à l'ensemble une cohérence et une efficacité dramatique toujours perceptibles. Paul de Musset fit représenter l'œuvre pour la première fois en novembre 1861, après en avoir prudemment gommé certaines hardiesses antireligieuses pour ne pas heurter le régime d'ordre moral du second Empire.

Les personnages et l'action de la comédie dramatique

On ne badine pas avec l'amour comporte, autour des trois protagonistes de la pièce, quatre autres personnages et le chœur, qui est en fait un villageois intervenant périodiquement pour commenter en contrepoint le déroulement de l'action.

Les protagonistes

Perdican et Camille n'apparaissent qu'à la scène 2 du premier acte et Rosette à la scène 4.

Le séducteur

Perdican est le fils du seigneur d'un village (le lieu n'est pas précisé et il n'a aucune importance). Il vient de terminer ses études à Paris et son père l'a fait venir pour préparer ses noces avec sa cousine Camille. Lorsqu'il paraît sur scène, on découvre un jeune homme séduisant, tout à la joie de retrouver le cadre de son enfance et de découvrir la beauté de sa cousine, qu'il n'a pas vue depuis longtemps. Ce séducteur est un peu inconscient de ce que représente vraiment l'amour et marche apparemment vers un triomphe préparé d'avance. Il va bien vite déchanter, car la jeune personne ne semble guère répondre aux projets que l'on a formés pour eux deux.

Une jeune fille avertie

Camille a été « convoquée » dans le même village avec sa gouvernante par le père de Perdican, pour conclure le mariage projeté. Ce pourrait être une de ces oies blanches sorties tout exprès du couvent pour être mariées selon les arrangements conclus par les familles. C'est en fait une jeune femme à qui les conversations avec ses compagnes de couvent – cruellement blessées par la vie pour la plupart – ont montré les hommes sous des jours apparemment peu flatteurs. Jeu de coquetterie ou conviction de sa part ? Elle paraît bien décidée à sonder les véritables intentions de Perdican, à lui faire confesser ses forfaitures envers le sexe féminin et même à les lui faire payer en le mettant au désespoir.

La victime

Rosette, elle, est du village : c'est la sœur de lait de Camille, c'est-à-dire une jeune paysanne, fille de la nourrice chez qui Camille avait été placée à sa naissance (usage courant à l'époque, comme on le voit dans *Madame Bovary* de Flaubert) et élevée à ce titre au même sein qu'elle. Elle ne sait que peu de chose des jeux compliqués et inévitablement cruels de la séduction, mais elle se révèle très sensible au charme et à la position sociale de Perdican, fils du seigneur du lieu. C'est en somme une proie facile, donc une victime idéale des « jeux de l'amour et du hasard ».

Marionnettes et faire-valoir

Les faire-valoir sont au nombre de quatre : le baron, maître Blazius, maître Bridaine et dame Pluche.

Un père ridicule

Le baron est le père de Perdican. C'est lui qui a combiné le mariage de son fils, frais émoulu de l'Université, et de sa nièce Camille. Cette belle mécanique ridicule, si fière de ses caves et de ses propriétés, si sûre de ses effets, et qui a prévu jusqu'aux entrées des fiancés dans son salon, s'imagine régir les âmes humaines comme elle planifie l'assolement de ses terres et la rentrée de ses fermages. Le baron va s'affoler et se détraquer de manière désopilante lorsque ses projets se verront contrariés par les volontés opposées de Camille et de Perdican.

Deux imbéciles satisfaits

Maître Blazius est le précepteur — ecclésiastique, selon l'usage du temps — de Perdican ; il a assisté ce dernier dans ses études et revient au pays avec son jeune maître, dans l'espoir de gagner quelque bonne place au château, en récompense de ses loyaux services. Buveur et mangeur redoutable, il se heurtera bien vite aux ambitions parallèles du curé du village, maître Bridaine. L'un et l'autre n'auront de cesse de se dénigrer mutuellement auprès du baron et d'intriguer très lourdement pour nuire à leurs intérêts réciproques.

Maître Bridaine fait office de chapelain du château et, à ce titre, de confident et d'ami du baron — qui n'a personne d'autre pour tenir ce rôle. Buveur et mangeur aussi phénoménal que maître Blazius, il essaie, dès le début de la pièce, de garder son rôle prépondérant auprès du maître de céans, avec les prérogatives qui s'y rattachent. Les traits de satire (voir p. 159) à l'égard du clergé des campagnes abondent dans le personnage de Bridaine (et dans celui de Blazius) et expliquent peut-être les prudences et les modifications introduites par Paul de Musset en 1861 (voir p. 16-17).

Une bigote militante

Dame Pluche, enfin, est la dame de compagnie et la gouvernante — la duègne, en quelque sorte — de Camille. Elle accompagne cette dernière à contrecœur, parce qu'elle ne veut pas entendre parler de mariage : vieille fille endurcie, elle espère bien ramener Camille au couvent, pure et sans tache, pour que cette dernière consacre tous ses soins et toute son ardeur à la religion. Bigote et d'une pruderie inénarrable, c'est un bon caractère comique dont les raisonnements sur les rapports entre les sexes sont des modèles de bouffonnerie.

La situation de départ

Lorsque le rideau s'ouvre, la situation est simple : le baron, père de Perdican, a fait venir en son château son fils, accompagné de son précepteur Blazius, et sa nièce, accompagnée de sa gouvernante, dame Pluche, pour arranger le mariage des deux jeunes gens. Il attend tout son monde en compagnie de maître Bridaine. Mais les événements vont rapidement décevoir son attente, par suite du heurt des caractères entre Camille et Perdican : ce choc initial détermine un enchaînement proprement pervers par lequel la comédie légère évolue peu à peu dans une atmosphère qui s'alourdit.

La suite de l'action est ainsi constituée d'une succession de coups de théâtre découlant de la logique amoureuse des personnages. Elle échappe donc aux marionnettes qui paraissaient avoir tout organisé. Attention : en dépit des apparences, cela n'est pas un jeu. C'est une question de vie ou de mort, et l'innocence pure et sincère tombera, victime des jeux cruels de la passion égoïste. Derrière le sourire de la comédie se profilent peu à peu le drame puis le masque fatal de la tragédie.

On peut mourir d'amour : la preuve, lisez.

Alfred de Musset.
Peinture de Paul Delaroche (1797-1856).
Coll. Jean Loize.

MUSSET

On ne badine pas avec l'amour

proverbe
publié en 1834
et représenté pour la première fois
le 18 novembre 1861

Personnages

Le baron.

Perdican, *son fils.*

Maître Blazius, *gouverneur de Perdican.*

Maître Bridaine, *curé.*

Camille, *nièce du baron.*

Dame Pluche, *sa gouvernante.*

Rosette, *sœur de lait*[1] *de Camille.*

Le chœur, *villageois.*

Un paysan.

Un valet.

---

1. *Sœur de lait* : comme toutes les petites filles de la bonne société, Camille a été mise en nourrice pendant sa petite enfance. Rosette est la fille de la nourrice, à peu près du même âge que Camille et élevée en même temps qu'elle.

Acte premier

SCÈNE PREMIÈRE. *Une place devant le château.*

LE CHŒUR. Doucement bercé sur sa mule fringante, messer[1] Blazius s'avance dans les bluets[2] fleuris, vêtu de neuf, l'écritoire[3] au côté. Comme un poupon sur l'oreiller, il se ballotte sur son ventre rebondi, et, les yeux à demi fermés, il marmotte
5 un *Pater noster*[4] dans son triple menton. Salut, maître Blazius, vous arrivez au temps de la vendange, pareil à une amphore antique.

MAÎTRE BLAZIUS. Que ceux qui veulent apprendre une nouvelle d'importance m'apportent ici premièrement un verre
10 de vin frais.

LE CHŒUR. Voilà notre plus grande écuelle ; buvez, maître Blazius ; le vin est bon ; vous parlerez après.

MAÎTRE BLAZIUS. Vous saurez, mes enfants, que le jeune Perdican, fils de notre seigneur, vient d'atteindre à sa majorité,
15 et qu'il est reçu docteur[5] à Paris. Il revient aujourd'hui même au château, la bouche toute pleine de façons de parler si

---

1. *Messer* : francisation du mot italien *messere*, qui signifie « messire », et que l'on trouve chez les poètes de la Renaissance (Marot, du Bellay, etc.) et, au XVIIe siècle, chez La Fontaine. Sorte de formule de salutation cérémonieuse, non dénuée d'intention narquoise.
2. *Bluets* : autre orthographe de « bleuets ».
3. *Écritoire* : sacoche contenant le nécessaire pour écrire, sorte de secrétaire de voyage du précepteur de Perdican.
4. *Pater noster* : premiers mots en latin (« Notre Père... ») de l'une des prières essentielles du catholicisme. (Blazius est un ecclésiastique habitué à ce genre de « patenôtres ».)
5. *Il est reçu docteur* : il vient juste de soutenir sa thèse de doctorat de l'Université de Paris.

belles et si fleuries qu'on ne sait que lui répondre les trois quarts du temps. Toute sa gracieuse personne est un livre d'or[1] ; il ne voit pas un brin d'herbe à terre, qu'il ne vous
20 dise comment cela s'appelle en latin ; et quand il fait du vent ou qu'il pleut, il vous dit tout clairement pourquoi. Vous

Le chœur joué ici par deux personnages, Évelyne Bouix et Christian Pernot. Mise en scène de Caroline Huppert aux Bouffes-du-Nord, 1977.

1. *Un livre d'or* : à l'origine, l'expression désigne le registre vénitien de vélin précieux sur lequel étaient consignés, en lettres d'or, les noms des familles patriciennes (nobles) de la cité des Doges. Sous la Restauration, en France, registre où étaient inscrits les noms des pairs (nobles) de France. Par extension, livre rare et précieux par son contenu.

ouvririez des yeux grands comme la porte que voilà, de le voir dérouler un des parchemins qu'il a coloriés d'encres de toutes couleurs, de ses propres mains et sans en rien dire à
25 personne. Enfin c'est un diamant fin des pieds à la tête, et voilà ce que je viens annoncer à M. le baron. Vous sentez que cela me fait quelque honneur, à moi, qui suis son gouverneur depuis l'âge de quatre ans ; ainsi donc, mes bons amis, apportez une chaise que je descende un peu de cette
30 mule-ci sans me casser le cou ; la bête est tant soit peu rétive, et je ne serais pas fâché de boire encore une gorgée avant d'entrer.

LE CHŒUR. Buvez, maître Blazius, et reprenez vos esprits. Nous avons vu naître le petit Perdican, et il n'était pas besoin,
35 du moment qu'il arrive, de nous en dire si long. Puissions-nous retrouver l'enfant dans le cœur de l'homme !

MAÎTRE BLAZIUS. Ma foi, l'écuelle est vide ; je ne croyais pas avoir tout bu. Adieu ; j'ai préparé, en trottant sur la route, deux ou trois phrases sans prétention qui plairont à
40 monseigneur ; je vais tirer la cloche. *(Il sort.)*

LE CHŒUR. Durement cahotée sur son âne essoufflé, dame Pluche gravit la colline ; son écuyer transi gourdine[1] à tour de bras le pauvre animal, qui hoche la tête, un chardon entre les dents. Ses longues jambes maigres trépignent de colère,
45 tandis que, de ses mains osseuses, elle égratigne son chapelet. Bonjour donc, dame Pluche ; vous arrivez comme la fièvre, avec le vent qui fait jaunir les bois.

DAME PLUCHE. Un verre d'eau, canaille que vous êtes ! un verre d'eau et un peu de vinaigre !

50 LE CHŒUR. D'où venez-vous, Pluche, ma mie ? Vos faux

1. *Gourdine :* frappe à coups de gourdin, de trique. (Néologisme créé par Musset.)

cheveux sont couverts de poussière ; voilà un toupet[1] de gâté, et votre chaste robe est retroussée jusqu'à vos vénérables jarretières.

DAME PLUCHE. Sachez, manants, que la belle Camille, la
55 nièce de votre maître, arrive aujourd'hui au château. Elle a quitté le couvent sur l'ordre exprès de monseigneur, pour venir en son temps et lieu recueillir, comme faire se doit, le bon bien qu'elle a de sa mère. Son éducation, Dieu merci, est terminée ; et ceux qui la verront auront la joie de respirer
60 une glorieuse[2] fleur de sagesse et de dévotion. Jamais il n'y a rien eu de si pur, de si ange, de si agneau et de si colombe que cette chère nonnain[3], que le seigneur Dieu du ciel la conduise ! Ainsi soit-il ! Rangez-vous, canaille ; il me semble que j'ai les jambes enflées.

65 LE CHŒUR. Défripez-vous, honnête Pluche ; et quand vous prierez Dieu, demandez de la pluie ; nos blés sont secs comme vos tibias.

DAME PLUCHE. Vous m'avez apporté de l'eau dans une écuelle qui sent la cuisine ; donnez-moi la main pour
70 descendre ; vous êtes des butors et des malappris. *(Elle sort.)*

LE CHŒUR. Mettons nos habits du dimanche, et attendons que le baron nous fasse appeler. Ou je me trompe fort, ou quelque joyeuse bombance est dans l'air aujourd'hui. *(Ils sortent.)*

---

1. *Toupet* : petite perruque de cheveux artificiels disposée sur le sommet de la tête pour augmenter le volume de la coiffure naturelle.
2. *Glorieuse* : par son éducation au sein de la religion, Camille participe de la « gloire » des perfections divines. Vocabulaire religieux.
3. *Nonnain* : en vieux français, c'est le cas régime (issu de l'accusatif latin) du mot « nonne », qui désigne une religieuse. En français plus moderne, terme plaisant ou affectueux pour désigner plutôt une jeune religieuse.

Acte I Scène 1

La pièce de Musset commence comme une comédie, avec l'arrivée de deux des quatre « grotesques » (voir p. 130 et 145) que comporte la distribution : maître Blazius et dame Pluche.

LA TECHNIQUE DU COMIQUE

1. Vous étudierez les procédés théâtraux mis en œuvre par l'auteur pour souligner les effets comiques de la scène : effet d'« annonce » du chœur, comique de situation, comique de gestes, comique de paroles, etc.

2. Le procédé de la répétition permet à Musset de renouveler le rire : vous en relèverez les divers aspects entre l'arrivée de Blazius et celle de Pluche.

3. La création verbale participe, chez Musset, de la virtuosité littéraire : vous analyserez quelques-uns de ces effets de style qui vous paraissent les mieux réussis.

PERSONNAGES VUS, PERSONNAGES ANNONCÉS : L'EXPOSITION

4. Réduit – ironiquement ? – à un seul personnage, le chœur traduit peut-être, par son persiflage léger, la distance de l'auteur vis-à-vis de ses personnages grotesques. Vous essaierez de distinguer les différents tons employés à l'égard de Blazius et de Pluche.

5. L'annonce des protagonistes : qu'apprend-on (et sous quelle forme) des deux héros de la pièce qui vont bientôt paraître ?

6. Quels rôles – réels et symboliques – le précepteur de Perdican et la gouvernante de Camille jouent-ils par rapport aux jeunes gens qu'ils représentent et dont ils anticipent la venue sur scène ?

7. Le rôle de la religion est déjà fugitivement esquissé dans cette scène ; vous relèverez par qui et sous quels aspects.

SCÈNE 2. *Le salon du baron.*
Entrent LE BARON, MAÎTRE BRIDAINE *et* MAÎTRE BLAZIUS.

LE BARON. Maître Bridaine, vous êtes mon ami, je vous présente maître Blazius, gouverneur de mon fils. Mon fils a eu hier matin, à midi huit minutes, vingt et un ans comptés ; il est docteur à quatre boules blanches[1]. Maître
5 Blazius, je vous présente maître Bridaine, curé de la paroisse ; c'est mon ami.

MAÎTRE BLAZIUS, *saluant.* À quatre boules blanches, seigneur ! littérature, botanique, droit romain, droit canon[2].

LE BARON. Allez à votre chambre, cher Blazius, mon fils
10 ne va pas tarder à paraître ; faites un peu de toilette, et revenez au coup de la cloche. *(Maître Blazius sort.)*

MAÎTRE BRIDAINE. Vous dirai-je ma pensée, monseigneur ? Le gouverneur de votre fils sent le vin à pleine bouche.

LE BARON. Cela est impossible.

15 MAÎTRE BRIDAINE. J'en suis sûr comme de ma vie ; il m'a parlé de fort près tout à l'heure ; il sentait le vin à faire peur.

LE BARON. Brisons là[3] ; je vous répète que cela est impossible.

---

1. *Quatre boules blanches* : dans l'ancien système des examens de thèse de la Faculté, les quatre membres du jury votaient pour l'admission des candidats au moyen de boules de couleur (blanche pour une pleine approbation, rouge pour une admission de justesse, noire pour un rejet). Perdican n'a donc rencontré aucune réticence chez ses examinateurs.
2. *Littérature, botanique, droit romain, droit canon* : cursus universitaire de grande fantaisie, qui mélange les lettres, les sciences de la nature, le droit civil et le droit ecclésiastique.
3. *Brisons là* : arrêtons ici cette conversation désagréable.

(Entre dame Pluche.) Vous voilà, bonne dame Pluche ! Ma nièce
20 est sans doute avec vous.

DAME PLUCHE. Elle me suit, monseigneur ; je l'ai devancée de quelques pas.

LE BARON. Maître Bridaine, vous êtes mon ami, je vous présente la dame Pluche, gouvernante de ma nièce. Ma nièce
25 est depuis hier, à sept heures de nuit, parvenue à l'âge de dix-huit ans ; elle sort du meilleur couvent de France. Dame Pluche, je vous présente maître Bridaine, curé de la paroisse ; c'est mon ami.

DAME PLUCHE, *saluant.* Du meilleur couvent de France,
30 seigneur, et je puis ajouter : la meilleure chrétienne du couvent.

LE BARON. Allez, dame Pluche, réparer le désordre où vous voilà ; ma nièce va bientôt venir, j'espère ; soyez prête à l'heure du dîner. *(Dame Pluche sort.)*

MAÎTRE BRIDAINE. Cette vieille demoiselle paraît tout à fait
35 pleine d'onction[1].

LE BARON. Pleine d'onction et de componction[2], maître Bridaine ; sa vertu est inattaquable.

MAÎTRE BRIDAINE. Mais le gouverneur sent le vin ; j'en ai la certitude.

40 LE BARON. Maître Bridaine, il y a des moments où je doute de votre amitié. Prenez-vous à tâche de[3] me contredire ? Pas un mot de plus là-dessus. J'ai formé le dessein de marier mon fils avec ma nièce ; c'est un couple assorti ; leur éducation me coûte six mille écus.

---

1. *Onction :* douceur de gestes et de paroles. Le mot est souvent employé dans un contexte ecclésiastique.
2. *Componction :* regret d'avoir offensé Dieu (sens ecclésiastique) ; dignité grave et réservée (sens littéraire).
3. *Prenez-vous à tâche de :* vous efforcez-vous de, avez-vous comme but de.

45 MAÎTRE BRIDAINE. Il sera nécessaire d'obtenir des dispenses[1].
LE BARON. Je les ai, Bridaine ; elles sont sur ma table, dans mon cabinet. Ô mon ami ! apprenez maintenant que je suis plein de joie. Vous savez que j'ai eu de tout temps la plus profonde horreur pour la solitude. Cependant la place que
50 j'occupe et la gravité de mon habit me forcent à rester dans ce château pendant trois mois d'hiver et trois mois d'été. Il est impossible de faire le bonheur des hommes en général, et de ses vassaux[2] en particulier, sans donner parfois à son valet de chambre l'ordre rigoureux de ne laisser entrer personne.
55 Qu'il est austère et difficile, le recueillement de l'homme d'État ! et quel plaisir ne trouverai-je pas à tempérer, par la présence de mes deux enfants réunis, la sombre tristesse à laquelle je dois nécessairement être en proie depuis que le roi m'a nommé receveur[3] !
60 MAÎTRE BRIDAINE. Ce mariage se fera-t-il ici, ou à Paris ?
LE BARON. Voilà où je vous attendais, Bridaine ; j'étais sûr de cette question. Eh bien ! mon ami, que diriez-vous si ces mains que voilà, oui, Bridaine, vos propres mains, — ne les regardez pas d'une manière aussi piteuse, — étaient destinées
65 à bénir solennellement l'heureuse confirmation de mes rêves les plus chers ? Hé ?
MAÎTRE BRIDAINE. Je me tais ; la reconnaissance me ferme la bouche.

---

1. Camille et Perdican sont cousins germains, puisque Camille est la nièce du baron. Or l'Église catholique interdit le mariage à ce degré de parenté. Des autorisations (« dispenses ») spéciales doivent être demandées aux autorités ecclésiastiques pour pouvoir passer outre à cette interdiction.
2. *Vassaux* : langage de la féodalité transposé après la Révolution française ; désigne dans le système féodal les hommes liés au seigneur (le suzerain) par un serment solennel d'assistance et d'obéissance.
3. *Receveur* : personne chargée de gérer la recette des impôts directs ou indirects.

LE BARON. Regardez par cette fenêtre ; ne voyez-vous pas
70 que mes gens se portent en foule à la grille ? Mes deux
enfants arrivent en même temps ; voilà la combinaison la
plus heureuse. J'ai disposé les choses de manière à tout
prévoir. Ma nièce sera introduite par cette porte à gauche, et
mon fils par cette porte à droite. Qu'en dites-vous ? Je me
75 fais une fête de voir comment ils s'aborderont, ce qu'ils se
diront ; six mille écus ne sont pas une bagatelle, il ne faut
pas s'y tromper. Ces enfants s'aimaient d'ailleurs fort tendrement dès le berceau. – Bridaine, il me vient une idée.

MAÎTRE BRIDAINE. Laquelle ?

80 LE BARON. Pendant le dîner, sans avoir l'air d'y toucher,
– vous comprenez, mon ami, – tout en vidant quelques
coupes joyeuses... – vous savez le latin, Bridaine.

MAÎTRE BRIDAINE. *Ita edepol*[1], pardieu, si je le sais !

LE BARON. Je serais bien aise de vous voir entreprendre ce
85 garçon, – discrètement, s'entend, – devant sa cousine ; cela
ne peut produire qu'un bon effet ; – faites-le parler un peu
latin, – non pas précisément pendant le dîner, cela deviendrait
fastidieux, et quant à moi, je n'y comprends rien, – mais
au dessert, – entendez-vous ?

90 MAÎTRE BRIDAINE. Si vous n'y comprenez rien, monseigneur, il est probable que votre nièce est dans le même cas.

LE BARON. Raison de plus ; ne voulez-vous pas qu'une
femme admire ce qu'elle comprend ? D'où sortez-vous,
Bridaine ? Voilà un raisonnement qui fait pitié.

95 MAÎTRE BRIDAINE. Je connais peu les femmes ; mais il me
semble qu'il est difficile qu'on admire ce qu'on ne comprend
pas.

1. *Ita edepol* : interjection latine de comédie, signifiant « Oui, par Pollux ! ». C'est un juron de cuistre, de personne faisant étalage d'un savoir plus ou moins bien assimilé.

LE BARON. Je les connais, Bridaine ; je connais ces êtres charmants et indéfinissables. Soyez persuadé qu'elles aiment
100 à avoir de la poudre dans les yeux, et que plus on leur en jette, plus elles les écarquillent, afin d'en gober davantage. *(Perdican entre d'un côté, Camille de l'autre.)* Bonjour, mes enfants ; bonjour, ma chère Camille, mon cher Perdican ! embrassez-moi, et embrassez-vous.

105 PERDICAN. Bonjour, mon père, ma sœur bien-aimée ! Quel bonheur ! que je suis heureux !

CAMILLE. Mon père et mon cousin, je vous salue.

PERDICAN. Comme te voilà grande, Camille ! et belle comme le jour !

110 LE BARON. Quand as-tu quitté Paris, Perdican ?

PERDICAN. Mercredi, je crois, ou mardi. Comme te voilà métamorphosée en femme ! Je suis donc un homme, moi ! Il me semble que c'est hier que je t'ai vue pas plus haute que cela.

115 LE BARON. Vous devez être fatigués ; la route est longue, et il fait chaud.

PERDICAN. Oh ! mon Dieu, non. Regardez donc, mon père, comme Camille est jolie !

LE BARON. Allons Camille, embrasse ton cousin.

120 CAMILLE. Excusez-moi[1].

LE BARON. Un compliment vaut un baiser ; embrasse-la, Perdican.

PERDICAN. Si ma cousine recule quand je lui tends la main, je vous dirai à mon tour : Excusez-moi ; l'amour peut voler
125 un baiser, mais non pas l'amitié.

CAMILLE. L'amitié ni l'amour ne doivent recevoir que ce qu'ils peuvent rendre.

---

1. *Excusez-moi* : formule de refus tout juste courtoise.

LE BARON, *à maître Bridaine.* Voilà un commencement de mauvais augure, hé ?

130 MAÎTRE BRIDAINE, *au baron.* Trop de pudeur est sans doute un défaut ; mais le mariage lève bien des scrupules.

LE BARON, *à maître Bridaine.* Je suis choqué, – blessé. – Cette réponse m'a déplu. – *Excusez-moi !* Avez-vous vu qu'elle a fait mine de se signer ? – Venez ici que je vous parle. –
135 Cela m'est pénible au dernier point. Ce moment, qui devait m'être si doux, est complètement gâté. – Je suis vexé, piqué[1]. – Diable ! voilà qui est fort mauvais.

MAÎTRE BRIDAINE. Dites-leur quelques mots ; les voilà qui se tournent le dos.

140 LE BARON. Eh bien ! mes enfants, à quoi pensez-vous donc ? Que fais-tu là, Camille, devant cette tapisserie ?

CAMILLE, *regardant un tableau.* Voilà un beau portrait, mon oncle ! N'est-ce pas une grand'tante à nous ?

LE BARON. Oui, mon enfant, c'est ta bisaïeule, – ou du
145 moins la sœur de ton bisaïeul, – car la chère dame n'a jamais concouru, pour sa part, je crois, autrement qu'en prières, – à l'accroissement de la famille. – C'était, ma foi, une sainte femme.

CAMILLE. Oh ! oui, une sainte ! c'est ma grand'tante Isabelle.
150 Comme ce costume religieux lui va bien !

LE BARON. Et toi, Perdican, que fais-tu là devant ce pot de fleurs ?

PERDICAN. Voilà une fleur charmante, mon père. C'est un héliotrope[2].

---

1. *Piqué :* vexé, irrité (comme dans l'expression plus courante « piqué au vif »).
2. *Héliotrope :* plante à fleurs blanches, bleues ou violettes. La variété à fleurs violettes est très parfumée.

155 LE BARON. Te moques-tu ? elle est grosse comme une mouche.

PERDICAN. Cette petite fleur grosse comme une mouche a bien son prix.

MAÎTRE BRIDAINE. Sans doute ! le docteur a raison.
160 Demandez-lui à quel sexe, à quelle classe elle appartient, de quels éléments elle se forme, d'où lui viennent sa sève et sa couleur ; il vous ravira en extase en vous détaillant les phénomènes de ce brin d'herbe, depuis la racine jusqu'à la fleur.

165 PERDICAN. Je n'en sais pas si long, mon révérend. Je trouve qu'elle sent bon, voilà tout.

Acte I Scène 2

Avec la scène 2 apparaît l'automate suprême, le baron, en compagnie du quatrième des grotesques, maître Bridaine. Mais c'est au moment même où tout doit s'enclencher comme dans un jeu de Meccano qu'un grain de sable vient gripper les rouages trop bien préparés : Camille et Perdican sont entrés en scène, et ils n'appartiennent pas, eux, à l'univers des poupées mécaniques.

LA TECHNIQUE DU COMIQUE

1. Vous relèverez les aspects « mécaniques » et répétitifs du personnage du baron par lesquels Musset accentue son caractère de calculateur ridicule.
2. Analysez les divers traits de légère satire sociale contenus dans cette scène.

COMMENT LANCER L'ACTION (OU LES ACTIONS) ?

3. Vous étudierez comment Musset procède, dans la même scène, pour annoncer le sujet de la pièce (le mariage calculé par le baron) et laisser entrevoir les péripéties qui découleront du heurt des caractères entre les deux héros de l'aventure.
4. Parallèlement à l'action principale, Musset esquisse une autre action – sur le registre bouffon – entre trois des quatre grotesques : la rivalité de Bridaine et de Blazius auprès du baron. Esquissez-en les diverses composantes.

CAMILLE ET PERDICAN : LA PREMIÈRE RENCONTRE

5. Ce qui aurait dû être un coup de foudre réciproque, étant donné la jeunesse et la beauté des deux protagonistes, est plutôt une douche froide, au moins pour les calculs du baron et pour l'enthousiasme un peu niais de Perdican. Vous étudierez l'opposition des caractères des jeunes héros : paroles, attitudes, pensées, etc.
6. Qu'est-ce que la présence de Bridaine et du baron ajoute à cette première confrontation ?

SCÈNE 3. *Devant le château.*

Entre LE CHŒUR. Plusieurs choses me divertissent et excitent ma curiosité. Venez, mes amis, et asseyons-nous sous ce noyer. Deux formidables[1] dîneurs sont en ce moment en présence au château, maître Bridaine et maître Blazius. N'avez-
5 vous pas fait une remarque ? c'est que, lorsque deux hommes à peu près pareils, également gros, également sots, ayant les mêmes vices et les mêmes passions, viennent par hasard à se rencontrer, il faut nécessairement qu'ils s'adorent ou qu'ils s'exècrent. Par la raison que les contraires s'attirent, qu'un
10 homme grand et desséché aimera un homme petit et rond, que les blonds recherchent les bruns, et réciproquement, je prévois une lutte secrète entre le gouverneur et le curé. Tous deux sont armés d'une égale impudence ; tous deux ont pour ventre un tonneau ; non seulement ils sont gloutons, mais ils
15 sont gourmets ; tous deux se disputeront, à dîner, non seulement la quantité, mais la qualité. Si le poisson est petit, comment faire ? et dans tous les cas une langue de carpe[2] ne peut se partager, et une carpe ne peut avoir deux langues. *Item*[3], tous deux sont bavards ; mais à la rigueur ils peuvent
20 parler ensemble sans s'écouter ni l'un ni l'autre. Déjà maître Bridaine a voulu adresser au jeune Perdican plusieurs questions pédantes, et le gouverneur a froncé le sourcil. Il lui est désagréable qu'un autre que lui semble mettre son élève à l'épreuve. *Item,* ils sont aussi ignorants l'un que l'autre. *Item,*
25 ils sont prêtres tous deux ; l'un se targuera de sa cure, l'autre

---

1. *Formidables* : au sens étymologique, « inspirant la crainte », « redoutables » par leur appétit.
2. *Langue de carpe* : régal apprécié des gourmets depuis l'Antiquité romaine.
3. *Item* : de même ; terme latin d'énumération, employé dans les listes et inventaires des hommes de loi, notaires et autres gratte-papier.

se rengorgera dans sa charge de gouverneur. Maître Blazius confesse le fils, et maître Bridaine le père. Déjà je les vois accoudés sur la table, les joues enflammées, les yeux à fleur de tête, secouer pleins de haine leurs triples mentons. Ils se
30 regardent de la tête aux pieds, ils préludent par de légères escarmouches ; bientôt la guerre se déclare ; les cuistreries de toute espèce se croisent et s'échangent, et, pour comble de malheur, entre les deux ivrognes s'agite dame Pluche, qui les repousse l'un et l'autre de ses coudes affilés. Maintenant que
35 voilà le dîner[1] fini, on ouvre la grille du château. C'est la compagnie qui sort, retirons-nous à l'écart. *(Ils sortent. – Entrent le baron et dame Pluche.)*

LE BARON. Vénérable Pluche, je suis peiné.

DAME PLUCHE. Est-il possible, monseigneur ?

LE BARON. Oui, Pluche, cela est possible. J'avais compté
40 depuis longtemps, – j'avais même écrit, noté, – sur mes tablettes de poche[2], – que ce jour devait être le plus agréable de mes jours, – oui, bonne dame, le plus agréable. – Vous n'ignorez pas que mon dessein était de marier mon fils avec ma nièce ; – cela était résolu, – convenu, – j'en avais
45 parlé à Bridaine, – et je vois, je crois voir, que ces enfants se parlent froidement ; ils ne se sont pas dit un mot.

DAME PLUCHE. Les voilà qui viennent, monseigneur. Sont-ils prévenus de vos projets ?

LE BARON. Je leur en ai touché quelques mots en particulier.
50 Je crois qu'il serait bon, puisque les voilà réunis, de nous asseoir sous cet ombrage propice, et de les laisser ensemble

1. *Dîner* : ici, repas de midi.
2. *Tablettes de poche* : carnets de notes, calepins. Cuistrerie antiquisante, par développement de l'expression latine « noter sur ses tablettes », signifiant « consigner sur les tablettes de cire dont se servaient les Anciens pour écrire ».

Dame Pluche (Monique Couturier) et le baron (André Julien).
Mise en scène de Caroline Huppert aux Bouffes-du-Nord, 1977.

un instant. *(Il se retire avec dame Pluche. — Entrent Camille et Perdican.)*

PERDICAN. Sais-tu que cela n'a rien de beau, Camille, de m'avoir refusé un baiser ?

55 CAMILLE. Je suis comme cela ; c'est ma manière.

PERDICAN. Veux-tu mon bras pour faire un tour dans le village ?

CAMILLE. Non, je suis lasse.

PERDICAN. Cela ne te ferait pas plaisir de revoir la prairie ?
60 Te souviens-tu de nos parties sur le bateau ? Viens, nous descendrons jusqu'aux moulins ; je tiendrai les rames, et toi le gouvernail.

CAMILLE. Je n'en ai nulle envie.

PERDICAN. Tu me fends l'âme. Quoi ! pas un souvenir,
65 Camille ? pas un battement de cœur pour notre enfance, pour tout ce pauvre temps passé, si bon, si doux, si plein de niaiseries délicieuses ? Tu ne veux pas venir voir le sentier par où nous allions à la ferme ?

CAMILLE. Non, pas ce soir.

70 PERDICAN. Pas ce soir ! et quand donc ? Toute notre vie est là.

CAMILLE. Je ne suis pas assez jeune pour m'amuser de mes poupées, ni assez vieille pour aimer le passé.

PERDICAN. Comment[1] dis-tu cela ?

75 CAMILLE. Je dis que les souvenirs d'enfance ne sont pas de mon goût.

PERDICAN. Cela t'ennuie ?

CAMILLE. Oui, cela m'ennuie.

PERDICAN. Pauvre enfant ! Je te plains sincèrement. *(Ils sortent chacun de leur côté.)*

80 LE BARON, *rentrant avec dame Pluche.* Vous le voyez, et vous l'entendez, excellente Pluche ; je m'attendais à la plus suave harmonie, et il me semble assister à un concert où le violon joue *Mon cœur soupire*[2], pendant que la flûte joue *Vive Henri IV*[3]. Songez à la discordance affreuse qu'une pareille combinaison
85 produirait. Voilà pourtant ce qui se passe dans mon cœur.

DAME PLUCHE. Je l'avoue ; il m'est impossible de blâmer Camille, et rien n'est de plus mauvais ton, à mon sens, que les parties de bateau.

---

1. *Comment* : en quel sens.
2. *Mon cœur soupire* : romance de Chérubin dans la version en français des *Noces de Figaro* (1786) de Mozart et Da Ponte, qui peint – musicalement et en paroles – les premiers troubles de l'amour dans un jeune cœur.
3. *Vive Henri IV* : vieil air populaire français repris dans un vaudeville à succès du XVIIIe siècle *(la Partie de chasse de Henri IV)*.

LE BARON. Parlez-vous sérieusement ?

90 DAME PLUCHE. Seigneur, une jeune fille qui se respecte ne se hasarde pas sur les pièces d'eau.

LE BARON. Mais observez donc, dame Pluche, que son cousin doit l'épouser, et que dès lors...

DAME PLUCHE. Les convenances défendent de tenir un
95 gouvernail, et il est malséant de quitter la terre ferme seule avec un jeune homme.

LE BARON. Mais, je répète... je vous dis...

DAME PLUCHE. C'est là mon opinion.

LE BARON. Êtes-vous folle ? En vérité, vous me feriez dire...
100 Il y a certaines expressions que je ne veux pas... qui me répugnent... Vous me donnez envie... En vérité, si je ne me retenais... Vous êtes une pécore[1], Pluche ! Je ne sais que penser de vous. *(Il sort.)*

1. *Pécore* : femme stupide.

Acte I Scène 3

Cette scène est en fait une sorte de polyptyque, un tableau subtilement dissymétrique, avec plusieurs volets (le chœur, puis le baron et dame Pluche, à deux reprises) encadrant un panneau central (confrontation entre Perdican et Camille).

LA COMPOSITION DRAMATIQUE

1. Musset ayant épuisé (provisoirement) les ressources de la répétition comique, il doit varier les effets de la composition. Vous relèverez et étudierez les moyens mis en œuvre dans cette scène pour entretenir le suspense sur les deux actions « lancées » à la scène précédente.

2. Dans sa jeunesse Musset a été un élève brillant du collège Henri-IV ; vous montrerez comment le récit du chœur est un joli pastiche (voir p. 158) des récits cornéliens, voire homériques.

3. Examinez le comique du langage lors du deuxième passage de dame Pluche et du baron.

LA CONFRONTATION ENTRE PERDICAN ET CAMILLE

4. Pour la deuxième fois, Camille et Perdican se retrouvent en présence l'un de l'autre. Vous montrerez comment l'opposition de caractère et de langage se creuse entre les deux jeunes gens.

5. La différence d'âge qui sépare Camille de Perdican a été longuement abordée par le baron à la scène précédente. Les propos tenus par l'un et par l'autre reflètent-ils un écart de même qualité et dans le même sens ? Justifiez précisément votre réponse par un recours au texte.

6. Les scènes entre Camille et Perdican sont pour longtemps encore des rapports de force entre deux « maturités » différentes. Qui vous paraît avoir ici l'avantage – au début, à la fin – et pourquoi ?

SCÈNE 4. *Une place.* LE CHŒUR, PERDICAN.

PERDICAN. Bonjour, mes amis. Me reconnaissez-vous ?

LE CHŒUR. Seigneur, vous ressemblez à un enfant que nous avons beaucoup aimé.

PERDICAN. N'est-ce pas vous qui m'avez porté sur votre
5 dos pour passer les ruisseaux de vos prairies, vous qui m'avez fait danser sur vos genoux, qui m'avez pris en croupe sur vos chevaux robustes, qui vous êtes serrés quelquefois autour de vos tables pour me faire une place au souper de la ferme ?

Perdican (Francis Huster) et les paysans.
Mise en scène de Simon Eine.
Comédie-Française, 1977.

10 LE CHŒUR. Nous nous en souvenons, seigneur. Vous étiez bien le plus mauvais garnement et le meilleur garçon de la terre.

PERDICAN. Et pourquoi donc alors ne m'embrassez-vous pas, au lieu de me saluer comme un étranger ?

15 LE CHŒUR. Que Dieu te bénisse, enfant de nos entrailles ! Chacun de nous voudrait te prendre dans ses bras ; mais nous sommes vieux, monseigneur, et vous êtes un homme.

PERDICAN. Oui, il y a dix ans que je ne vous ai vus, et en un jour tout change sous le soleil. Je me suis élevé de quelques 20 pieds vers le ciel, et vous vous êtes courbés de quelques pouces vers le tombeau. Vos têtes ont blanchi, vos pas sont devenus plus lents ; vous ne pouvez plus soulever de terre votre enfant d'autrefois. C'est donc à moi d'être votre père, à vous qui avez été les miens.

25 LE CHŒUR. Votre retour est un jour plus heureux que votre naissance. Il est plus doux de retrouver ce qu'on aime que d'embrasser un nouveau-né.

PERDICAN. Voilà donc ma chère vallée ! mes noyers, mes sentiers verts, ma petite fontaine ! voilà mes jours passés 30 encore tout pleins de vie, voilà le monde mystérieux des rêves de mon enfance ! Ô patrie ! patrie ! mot incompréhensible ! l'homme n'est-il donc né que pour un coin de terre, pour y bâtir son nid et pour y vivre un jour ?

LE CHŒUR. On nous a dit que vous êtes un savant, 35 monseigneur.

PERDICAN. Oui, on me l'a dit aussi. Les sciences sont une belle chose, mes enfants ; ces arbres et ces prairies enseignent à haute voix la plus belle de toutes, l'oubli de ce qu'on sait.

LE CHŒUR. Il s'est fait plus d'un changement pendant 40 votre absence. Il y a des filles mariées et des garçons partis pour l'armée.

PERDICAN. Vous me conterez tout cela. Je m'attends bien à du nouveau ; mais en vérité je n'en veux pas encore.

Comme ce lavoir est petit ! autrefois il me paraissait immense.
45 J'avais emporté dans ma tête un océan et des forêts, et je retrouve une goutte d'eau et des brins d'herbe. Quelle est donc cette jeune fille qui chante à sa croisée, derrière ces arbres ?

LE CHŒUR. C'est Rosette, la sœur de lait de votre cousine
50 Camille.

PERDICAN, *s'avançant.* Descends vite, Rosette, et viens ici.

ROSETTE, *entrant.* Oui, monseigneur.

PERDICAN. Tu me voyais de ta fenêtre, et tu ne venais pas, méchante fille ? Donne-moi vite cette main-là et ces joues-là,
55 que je t'embrasse.

ROSETTE. Oui, monseigneur.

PERDICAN. Es-tu mariée, petite ? on m'a dit que tu l'étais.

ROSETTE. Oh ! non.

PERDICAN. Pourquoi ? Il n'y a pas dans le village de plus
60 jolie fille que toi. Nous te marierons, mon enfant.

LE CHŒUR. Monseigneur, elle veut mourir fille.

PERDICAN. Est-ce vrai, Rosette ?

ROSETTE. Oh ! non.

PERDICAN. Ta sœur Camille est arrivée. L'as-tu vue ?

65 ROSETTE. Elle n'est pas encore venue par ici.

PERDICAN. Va-t'en vite mettre ta robe neuve, et viens souper au château.

Acte I Scène 4

La scène 4 de l'acte I ouvre une parenthèse de poésie au milieu de la succession de scènes contrastées. C'est l'occasion pour Musset d'un moment de méditation et d'émotion, que va venir couronner l'apparition de Rosette.

« OBJETS INANIMÉS, AVEZ-VOUS DONC UNE ÂME ?... »

1. À travers les propos tenus par Perdican lors de la scène précédente et dans la présente scène, on étudiera le thème de la poésie de l'enfance (évocations, souvenirs, etc.) et les moyens littéraires mis en œuvre par Musset : vocabulaire employé, rythme des phrases, mouvement de l'ensemble, etc.

2. Cette évocation de l'enfance conduit naturellement Perdican à une sorte de méditation sur la destinée humaine. Vous en dégagerez les éléments principaux.

3. Perdican était un peu apparu, dans les scènes précédentes, sous les aspects d'un dadais idéaliste ; comment et pourquoi, selon vous, semble-t-il ici plus mûr ? Quel pourrait être le rôle de la déception amoureuse dans cette évolution ?

APPARITION DE ROSETTE : LA PURETÉ DE L'INNOCENCE

4. Comment Musset a-t-il rattaché l'apparition de Rosette à l'atmosphère d'idylle de l'ensemble de cette scène ?

5. Vous analyserez brièvement la nature et le ton des échanges entre Perdican et la sœur de lait de Camille.

SCÈNE 5. *Une salle.*
Entrent LE BARON *et* MAÎTRE BLAZIUS.

MAÎTRE BLAZIUS. Seigneur, j'ai un mot à vous dire ; le curé de la paroisse est un ivrogne.

LE BARON. Fi donc ! cela ne se peut pas.

MAÎTRE BLAZIUS. J'en suis certain. – Il a bu à dîner trois
5 bouteilles de vin.

LE BARON. Cela est exorbitant.

MAÎTRE BLAZIUS. Et, en sortant de table, il a marché sur les plates-bandes.

LE BARON. Sur les plates-bandes ? – Je suis confondu !

Le baron (Alain Mac Moy) et maître Blazius (Pierre Vial).
Mise en scène de Guy Rétoré.
Théâtre de l'Est parisien, 1979.

10 — Voilà qui est étrange ! — Boire trois bouteilles de vin à dîner ! marcher sur les plates-bandes ! c'est incompréhensible. — Et pourquoi ne marchait-il pas dans l'allée ?

MAÎTRE BLAZIUS. Parce qu'il allait de travers.

LE BARON, *à part.* Je commence à croire que Bridaine avait 15 raison ce matin. Ce Blazius sent le vin d'une manière horrible.

MAÎTRE BLAZIUS. De plus il a mangé beaucoup ; sa parole était embarrassée.

LE BARON. Vraiment, je l'ai remarqué aussi.

MAÎTRE BLAZIUS. Il a lâché quelques mots latins ; c'étaient 20 autant de solécismes[1]. Seigneur, c'est un homme dépravé.

LE BARON, *à part.* Pouah ! Ce Blazius a une odeur qui est intolérable. — Apprenez, gouverneur, que j'ai bien autre chose en tête, et que je ne me mêle jamais de ce qu'on boit ni de ce qu'on mange. Je ne suis pas un majordome[2].

25 MAÎTRE BLAZIUS. À Dieu ne plaise que je vous déplaise, monsieur le baron. Votre vin est bon.

LE BARON. Il y a de bon vin dans mes caves.

MAÎTRE BRIDAINE, *entrant.* Seigneur, votre fils est sur la place, suivi de tous les polissons du village.

30 LE BARON. Cela est impossible.

MAÎTRE BRIDAINE. Je l'ai vu de mes propres yeux. Il ramassait des cailloux pour faire des ricochets.

LE BARON. Des ricochets ? — Ma tête s'égare ; voilà mes idées qui se bouleversent. — Vous me faites un rapport 35 insensé, Bridaine. Il est inouï qu'un docteur fasse des ricochets.

MAÎTRE BRIDAINE. Mettez-vous à la fenêtre, monseigneur, vous le verrez de vos propres yeux.

---

1. *Solécismes* : fautes contre la grammaire d'une langue.
2. *Majordome* : maître d'hôtel et homme à tout faire, qui contrôle dans une maison noble la bonne marche de l'intendance.

LE BARON, *à part.* Ô ciel ! Blazius a raison ; Bridaine va de travers.

40 MAÎTRE BRIDAINE. Regardez, monseigneur, le voilà au bord du lavoir. Il tient sous le bras une jeune paysanne.

LE BARON. Une jeune paysanne ? Mon fils vient-il ici pour débaucher mes vassales ? Une paysanne sous son bras ! et tous les gamins du village autour de lui ! Je me sens hors de 45 moi.

MAÎTRE BRIDAINE. Cela crie vengeance.

LE BARON. Tout est perdu ! – perdu sans ressource ! – Je suis perdu : Bridaine va de travers, Blazius sent le vin à faire horreur, et mon fils séduit toutes les filles du village en 50 faisant des ricochets ! *(Il sort.)*

Acte I Scène 5

À la fin de l'acte I, l'univers bien réglé du baron s'effondre : ses projets sont démentis par les événements incroyables qui se déroulent sous ses yeux et tout « va de travers », comme Bridaine.

QUAND LES PENDULES NE DONNENT PLUS L'HEURE...

1. Vous analyserez le jeu croisé des révélations de Blazius et de Bridaine, qui conjuguent paradoxalement mensonge et vérité, réel et invraisemblance. Pensez au paradoxe d'Épiménide le Crétois : « Un menteur dit qu'il ment. Ment-il ou dit-il la vérité ? »

2. Vous montrerez, en vous référant précisément au texte, comment les divers éléments de l'univers du baron s'écroulent les uns après les autres.

LANGAGE ET VÉRITÉ

3. Une grande partie du comique – comme plus tard du pathétique, puis du tragique – de Musset repose sur le langage. Vous analyserez dans cette scène la fonction et les modes du langage qui contribuent à la désarticulation du réel.

Ensemble de l'acte I

1. Vous reprendrez sur l'ensemble de l'acte les divers procédés du comique utilisés par Musset.

2. Le premier acte est essentiellement marqué par les grotesques et par leur verbiage. Vous montrerez par quels moyens – stylistiques et linguistiques – Musset réussit à leur donner à la fois une allure commune de pantins et une personnalité propre, quelle que soit par ailleurs la brièveté de chaque esquisse.

3. Analysez la progression dramatique au cours de l'acte I.

4. Le genre dramatique du proverbe est par définition ambigu. Comédie ou tragédie ? Il semble que le premier acte d'*On ne badine pas avec l'amour* soit plutôt du côté de la première que de la seconde. Expliquez pourquoi.

Camille (Isabelle Huppert) et Perdican (Didier Haudepin).
Mise en scène de Caroline Huppert.
Bouffes-du-Nord, 1977.

Acte II

SCÈNE PREMIÈRE. *Un jardin.*
Entrent MAÎTRE BLAZIUS *et* PERDICAN.

MAÎTRE BLAZIUS. Seigneur, votre père est au désespoir.
PERDICAN. Pourquoi cela ?
MAÎTRE BLAZIUS. Vous n'ignorez pas qu'il avait formé le projet de vous unir à votre cousine Camille ?
5 PERDICAN. Eh bien ? — je ne demande pas mieux.
MAÎTRE BLAZIUS. Cependant, le baron croit remarquer que vos caractères ne s'accordent pas.
PERDICAN. Cela est malheureux ; je ne puis refaire le mien.
MAÎTRE BLAZIUS. Rendrez-vous par là ce mariage
10 impossible ?
PERDICAN. Je vous répète que je ne demande pas mieux que d'épouser Camille. Allez trouver le baron et dites-lui cela.
MAÎTRE BLAZIUS. Seigneur, je me retire : voilà votre cousine qui vient de ce côté. *(Il sort. — Entre Camille.)*
15 PERDICAN. Déjà levée, cousine ? J'en suis toujours pour ce que je t'ai dit hier ; tu es jolie comme un cœur.
CAMILLE. Parlons sérieusement, Perdican ; votre père veut nous marier. Je ne sais ce que vous en pensez ; mais je crois bien faire en vous prévenant que mon parti est pris là-dessus.
20 PERDICAN. Tant pis pour moi si je vous déplais.
CAMILLE. Pas plus qu'un autre ; je ne veux pas me marier : il n'y a rien là dont votre orgueil puisse souffrir.
PERDICAN. L'orgueil n'est pas mon fait ; je n'en estime ni les joies ni les peines.
25 CAMILLE. Je suis venue ici pour recueillir le bien de ma mère ; je retourne demain au couvent.

PERDICAN. Il y a de la franchise dans ta démarche ; touche là, et soyons bons amis.

CAMILLE. Je n'aime pas les attouchements.

30 PERDICAN, *lui prenant la main.* Donne-moi ta main, Camille, je t'en prie. Que crains-tu de moi ? Tu ne veux pas qu'on nous marie ? eh bien ! ne nous marions pas ; est-ce une raison pour nous haïr ? ne sommes-nous pas le frère et la sœur ? Lorsque ta mère a ordonné ce mariage dans son 35 testament, elle a voulu que notre amitié fût éternelle, voilà tout ce qu'elle a voulu. Pourquoi nous marier ? voilà ta main et voilà la mienne ; et pour qu'elles restent unies ainsi jusqu'au dernier soupir, crois-tu qu'il nous faille un prêtre ? Nous n'avons besoin que de Dieu.

40 CAMILLE. Je suis bien aise que mon refus vous soit indifférent.

PERDICAN. Il ne m'est point indifférent, Camille. Ton amour m'eût donné la vie, mais ton amitié m'en consolera[1]. Ne quitte pas le château demain ; hier, tu as refusé de faire un tour de jardin, parce que tu voyais en moi un mari dont tu 45 ne voulais pas. Reste ici quelques jours ; laisse-moi espérer que notre vie passée n'est pas morte à jamais dans ton cœur.

CAMILLE. Je suis obligée de partir.

PERDICAN. Pourquoi ?

CAMILLE. C'est mon secret.

50 PERDICAN. En aimes-tu un autre que moi ?

CAMILLE. Non ; mais je veux partir.

PERDICAN. Irrévocablement ?

CAMILLE. Oui, irrévocablement.

PERDICAN. Eh bien ! adieu. J'aurais voulu m'asseoir avec 55 toi sous les marronniers du petit bois, et causer de bonne

---

1. *M'en consolera* : me consolera de n'avoir pas obtenu ton amour et la vie qu'il m'eût donnée.

amitié une heure ou deux. Mais si cela te déplaît, n'en parlons plus ; adieu, mon enfant. *(Il sort.)*

CAMILLE, *à dame Pluche qui entre.* Dame Pluche, tout est-il prêt ? Partirons-nous demain ? Mon tuteur a-t-il fini ses
60 comptes ?

DAME PLUCHE. Oui, chère colombe sans tache. Le baron m'a traitée de pécore hier soir, et je suis enchantée de partir.

CAMILLE. Tenez, voilà un mot d'écrit que vous porterez avant dîner, de ma part, à mon cousin Perdican.

65 DAME PLUCHE. Seigneur mon Dieu ! est-ce possible ? vous écrivez un billet à un homme ?

CAMILLE. Ne dois-je pas être sa femme ? Je puis bien écrire à mon fiancé.

DAME PLUCHE. Le seigneur Perdican sort d'ici. Que pouvez-
70 vous lui écrire ? Votre fiancé, miséricorde ! Serait-il vrai que vous oubliez Jésus ?

CAMILLE. Faites ce que je vous dis, et disposez tout pour notre départ. *(Elles sortent.)*

Acte II Scène 1

L'acte premier était celui des grotesques, dont les intérêts personnels avaient besoin de la docilité de Camille et de Perdican : paternalisme condescendant, bigoterie étriquée, ivrognerie ronronnante et carriérisme de coq de village s'y accommodaient tant bien que mal les uns aux autres. Tout cela n'était au fond que matière à rire. Mais les « enfants » ne se sont pas révélés aussi sages que l'on aurait voulu qu'ils fussent, et surtout Camille, la rebelle, apparemment plus mûre que Perdican.

LE REFUS DE CAMILLE : RUSE OU SINCÉRITÉ ?

1. Une nouvelle rencontre au jardin ramène Camille et Perdican en présence l'un de l'autre. Celui-ci est toujours aussi naïvement enthousiasmé de la beauté de sa cousine ; celle-là, plus que jamais entêtée dans son refus. Vous relèverez et analyserez les propos et arguments de l'un et de l'autre.

2. À quel(s) moment(s) et à quelle(s) parole(s) pourrions-nous fugitivement soupçonner que Camille joue une comédie – pour Perdican et pour elle-même – dont elle n'est qu'à demi consciente ?

L'AMOUR DE PERDICAN : RÊVE OU RÉALITÉ ?

3. Perdican est un enfant gâté à qui tout a réussi jusque-là. Le refus de Camille est sans doute le premier échec véritable qu'il rencontre. Vous montrerez cet aspect de colère d'enfant gâté à travers ses propos.

4. Vous examinerez le langage et les formules employés par Perdican pour déclarer son amour passé et présent pour Camille.

LES COUPS DE THÉÂTRE : LA PREMIÈRE LETTRE

5. La situation menace de s'enliser après l'« irrévocablement » de Camille, auquel a répondu l'« adieu, mon enfant » de Perdican. Quel rôle joue pour l'action l'épisode de la lettre ?

6. Que traduit la réaction de dame Pluche et quels aspects prend cette réaction ?

SCÈNE 2. *La salle à manger.*
On met le couvert.

Entre MAÎTRE BRIDAINE. Cela est certain, on lui donnera encore aujourd'hui la place d'honneur. Cette chaise que j'ai occupée si longtemps à la droite du baron sera la proie du gouverneur. Ô malheureux que je suis ! Un âne bâté[1], un
5 ivrogne sans pudeur, me relègue au bas bout de la table[2] ! le majordome lui versera le premier verre de malaga[3], et, lorsque les plats arriveront à moi, ils seront à moitié froids, et les meilleurs morceaux déjà avalés ; il ne restera plus autour des perdreaux ni choux ni carottes. Ô sainte Église catholique !
10 Qu'on lui ait donné cette place hier, cela se concevait ; il venait d'arriver ; c'était la première fois depuis nombre d'années, qu'il s'asseyait à cette table. Dieu ! comme il dévorait ! Non, rien ne me restera que des os et des pattes de poulet. Je ne souffrirai pas cet affront. Adieu, vénérable
15 fauteuil où je me suis renversé tant de fois, gorgé de mets succulents ! Adieu, bouteilles cachetées[4], fumet sans pareil de venaisons[5] cuites à point ! Adieu, table splendide, noble salle

1. *Âne bâté :* âne sur lequel on a placé le bât, selle grossière pour transporter les fardeaux (sens propre) ; personne stupide et ignorante, qui se laisse faire (sens figuré).
2. *Bas bout de la table :* dans l'ancien service des tables nobles, l'extrémité de la table à laquelle étaient assis le seigneur et ses invités de marque était appelée « le haut bout » (marqué à l'origine par une estrade ou une surélévation). Le bas bout est l'extrémité opposée, où sont installés les convives moins importants.
3. *Malaga :* vin doux et sucré fait à Malaga, en Espagne.
4. *Bouteilles cachetées :* seuls les riches avaient les moyens de se payer du vin en bouteilles fermées que l'on mettait à vieillir dans les caves. Les milieux humbles devaient se contenter de vins en pichet directement tirés du tonneau, de consommation et de qualité courantes.
5. *Venaisons :* viandes provenant de gibier de grande chasse.

à manger, je ne dirai plus le *Benedicite*[1] ! Je retourne à ma cure[2] ; on ne me verra pas confondu parmi la foule des
20 convives, et j'aime mieux, comme César, être le premier au village que le second dans Rome[3]. *(Il sort.)*

SCÈNE 3. *Un champ devant une petite maison.* *Entrent* ROSETTE *et* PERDICAN.

PERDICAN. Puisque ta mère n'y est pas, viens faire un tour de promenade.

ROSETTE. Croyez-vous que cela me fasse du bien, tous ces baisers que vous me donnez ?

5 PERDICAN. Quel mal y trouves-tu ? Je t'embrasserais devant ta mère. N'es-tu pas la sœur de Camille ? Ne suis-je pas ton frère comme je suis le sien ?

ROSETTE. Des mots sont des mots, et des baisers sont des baisers. Je n'ai guère d'esprit, et je m'en aperçois bien sitôt
10 que je veux dire quelque chose. Les belles dames savent leur

---

1. *Benedicite* : premier mot de la prière en latin (« Bénissez... ») que l'on dit – ou disait – dans les milieux catholiques, au début de chaque repas, pour le bénir. À défaut d'un ecclésiastique présent à la table, c'est le chef de famille qui est chargé de cette tâche.
2. *Cure* : maison près de l'église d'une paroisse, où habite le curé. Elle est plus ou moins riche et bien fournie selon la prospérité (et la piété) de l'agglomération.
3. *Comme César ... dans Rome* : passant dans un petit village des Alpes alors qu'il se rendait en Espagne pour y prendre ses fonctions officielles, César (100 ou 101 - 44 av. J.-C.) aurait dit à ses compagnons qui se moquaient de la pauvreté du village : « J'aimerais mieux être ici le premier que le second dans Rome » (voir Plutarque, *Vie de César*, XIII).

affaire[1], selon qu'on leur baise la main droite ou la main gauche ; leurs pères les embrassent sur le front, leurs frères sur la joue, leurs amoureux sur les lèvres ; moi, tout le monde m'embrasse sur les deux joues, et cela me chagrine.

15 PERDICAN. Que tu es jolie, mon enfant !

ROSETTE. Il ne faut pas non plus[2] vous fâcher pour cela. Comme vous paraissez triste ce matin ! Votre mariage est donc manqué ?

PERDICAN. Les paysans de ton village se souviennent de 20 m'avoir aimé ; les chiens de la basse-cour et les arbres du bois s'en souviennent aussi ; mais Camille ne s'en souvient pas. Et toi, Rosette, à quand le mariage ?

ROSETTE. Ne parlons pas de cela, voulez-vous ? Parlons du temps qu'il fait, de ces fleurs que voilà, de vos chevaux et 25 de mes bonnets[3].

PERDICAN. De tout ce qui te plaira, de tout ce qui peut passer sur tes lèvres sans leur ôter ce sourire céleste que je respecte plus que ma vie. *(Il l'embrasse.)*

ROSETTE. Vous respectez mon sourire, mais vous ne respectez 30 guère mes lèvres, à ce qu'il me semble. Regardez donc, voilà une goutte de pluie qui me tombe sur la main, et cependant le ciel est pur.

PERDICAN. Pardonne-moi.

ROSETTE. Que vous ai-je fait, pour que vous pleuriez ? *(Ils sortent.)*

1. *Savent leur affaire* : font bien la distinction.
2. *Il ne faut pas non plus* : il ne faut pas que ce soit une raison supplémentaire pour.
3. *Bonnets* : coiffes de toile brodées et souvent empesées d'amidon (« empois »), que portaient les paysannes et qui changeaient selon les régions et les provinces.

Acte II Scènes 2 et 3

UN MORCEAU D'ÉLOQUENCE CLASSIQUE

La réaction de dame Pluche avait été digne du personnage de marionnette grotesque qu'elle incarne avec brio. Le monologue de maître Bridaine poursuit dans cette veine.

1. Vous montrerez comment le monologue de la scène 2 fait écho au récit du chœur, dans la scène 3 de l'acte précédent.

ROSETTE, OU LA SÉDUCTION NATURELLE

Nichée au cœur de l'acte II, la scène 3 reprend et développe l'amorce que constitue la scène 4 de l'acte précédent. Mais Perdican a changé entre-temps, et le « jeu » n'est plus le même...

2. Vous analyserez les propos de Rosette et ses conceptions sur l'honneur des femmes et des filles. Un rapprochement avec une des deux paysannes séduites par le Dom Juan de Molière (acte II, scène 2) pourra se révéler utile.

3. Montrez par des exemples précis que la simplicité de Rosette n'exclut pas la pénétration psychologique, celle-là même qui va la rendre définitivement amoureuse de Perdican.

4. Examinez comment Musset rassemble peu à peu en Rosette les traits de la victime idéale de l'amour.

PERDICAN, OU L'AMOUR PAR PROCURATION

5. Perdican semblait interdit devant les allures hautaines de Camille. Commentez de ce point de vue ses manières avec Rosette.

6. Que peut-on penser du trouble visible du jeune homme ? Est-il provoqué par les charmes naïfs et la fraîcheur de la jeune paysanne ou par le souvenir des duretés de Camille ? Vous justifierez vos réponses par un recours précis au texte.

LE PATHÉTIQUE

7. Vous montrerez comment le ton et les moyens théâtraux employés par Musset changent complètement dans la scène 3 par rapport aux scènes précédentes.

SCÈNE 4. *Au château.*
Entrent MAÎTRE BLAZIUS *et* LE BARON.

MAÎTRE BLAZIUS. Seigneur, j'ai une chose singulière à vous dire. Tout à l'heure, j'étais par hasard dans l'office[1], je veux dire dans la galerie[2] – qu'aurais-je été faire dans l'office ? – j'étais donc dans la galerie. J'avais trouvé par accident une
5 bouteille, je veux dire une carafe d'eau – comment aurais-je trouvé une bouteille dans la galerie ? – J'étais donc en train de boire un coup de vin, je veux dire un verre d'eau, pour passer le temps, et je regardais par la fenêtre, entre deux vases de fleurs qui me paraissaient d'un goût moderne, bien
10 qu'ils soient imités de l'étrusque[3].

LE BARON. Quelle insupportable manière de parler vous avez adoptée, Blazius ! Vos discours sont inexplicables.

MAÎTRE BLAZIUS. Écoutez-moi, seigneur, prêtez-moi un moment d'attention. Je regardais donc par la fenêtre. – Ne
15 vous impatientez pas, au nom du ciel ! il y va de l'honneur de la famille.

LE BARON. De la famille ! Voilà qui est incompréhensible. De l'honneur de la famille, Blazius ! Savez-vous que nous sommes trente-sept mâles, et presque autant de femmes, tant
20 à Paris qu'en province ?

---

1. *Office* : pièce intermédiaire entre les cuisines et la salle à manger d'un château, où l'on dispose et arrange les plats et les vins avant de les apporter sur la table.
2. *Galerie* : une des salles d'apparat d'un château, où peuvent être exposées diverses collections offertes à la curiosité et à l'admiration des invités.
3. *Imités de l'étrusque* : au XIXe siècle, on tenait pour étrusques une partie des vases grecs que l'on commençait à trouver en grand nombre dans les nécropoles d'Étrurie (région d'Italie comprise entre l'Arno et le Tibre, soit entre Florence et Rome).

MAÎTRE BLAZIUS. Permettez-moi de continuer. Tandis que je buvais un coup de vin, je veux dire un verre d'eau, pour hâter la digestion tardive, imaginez que j'ai vu passer sous la fenêtre dame Pluche hors d'haleine.

25 LE BARON. Pourquoi hors d'haleine, Blazius ? Ceci est insolite.

MAÎTRE BLAZIUS. Et à côté d'elle, rouge de colère, votre nièce Camille.

LE BARON. Qui était rouge de colère, ma nièce, ou dame 30 Pluche ?

MAÎTRE BLAZIUS. Votre nièce, seigneur.

LE BARON. Ma nièce rouge de colère ! Cela est inouï ! Et comment savez-vous que c'était de colère ? Elle pouvait être rouge pour mille raisons ; elle avait sans doute poursuivi 35 quelques papillons dans mon parterre.

MAÎTRE BLAZIUS. Je ne puis rien affirmer là-dessus ; cela se peut ; mais elle s'écriait avec force : « Allez-y ! trouvez-le ! faites ce qu'on vous dit ! vous êtes une sotte ! je le veux ! » Et elle frappait avec son éventail sur le coude de 40 dame Pluche, qui faisait un soubresaut dans la luzerne à chaque exclamation.

LE BARON. Dans la luzerne ?... Et que répondait la gouvernante aux extravagances de ma nièce ? car cette conduite mérite d'être qualifiée ainsi.

45 MAÎTRE BLAZIUS. La gouvernante répondait : « Je ne veux pas y aller ! Je ne l'ai pas trouvé ! Il fait la cour aux filles du village, à des gardeuses de dindons. Je suis trop vieille pour commencer à porter des messages d'amour ; grâce à Dieu, j'ai vécu les mains pures jusqu'ici » — et tout en 50 parlant, elle froissait dans ses mains un petit papier plié en quatre.

LE BARON. Je n'y comprends rien ; mes idées s'embrouillent tout à fait. Quelle raison pouvait avoir dame Pluche pour froisser un papier plié en quatre en faisant des soubresauts

55 dans une luzerne ? Je ne puis ajouter foi à de pareilles monstruosités.

MAÎTRE BLAZIUS. Ne comprenez-vous pas clairement, seigneur, ce que cela signifiait ?

LE BARON. Non, en vérité, non, mon ami, je n'y comprends 60 absolument rien. Tout cela me paraît une conduite désordonnée, il est vrai, mais sans motif comme sans excuse.

MAÎTRE BLAZIUS. Cela veut dire que votre nièce a une correspondance secrète.

LE BARON. Que dites-vous ? Songez-vous de qui vous 65 parlez ? Pesez vos paroles, monsieur l'abbé.

MAÎTRE BLAZIUS. Je les pèserais dans la balance céleste qui doit peser mon âme au jugement dernier, que je n'y trouverais pas un mot qui sente la fausse monnaie. Votre nièce a une correspondance secrète.

70 LE BARON. Mais songez donc, mon ami, que cela est impossible !

MAÎTRE BLAZIUS. Pourquoi aurait-elle chargé sa gouvernante d'une lettre ? Pourquoi aurait-elle crié : *Trouvez-le !* tandis que l'autre boudait et rechignait ?

75 LE BARON. Et à qui était adressée cette lettre ?

MAÎTRE BLAZIUS. Voilà précisément le *hic*[1], monseigneur, *hic jacet lepus*[2]. À qui était adressée cette lettre ? à un homme qui fait la cour à une gardeuse de dindons. Or, un homme qui recherche en public une gardeuse de dindons peut être 80 soupçonné violemment d'être né pour les garder lui-même. Cependant il est impossible que votre nièce, avec l'éducation qu'elle a reçue, soit éprise d'un tel homme ; voilà ce que je

1. *Hic* : premier mot latin de la locution *hic est quaestio*, « ici est le problème ». Par extension, expression synonyme de « difficulté ».
2. *Hic jacet lepus* : autre locution latine signifiant « ici gît le lièvre », avec à peu près le même sens.

dis, et ce qui fait que je n'y comprends rien non plus que vous, révérence parler[1].

85 LE BARON. Ô ciel ! ma nièce m'a déclaré ce matin même qu'elle refusait son cousin Perdican. Aimerait-elle un gardeur de dindons ? Passons dans mon cabinet ; j'ai éprouvé depuis hier des secousses[2] si violentes que je ne puis rassembler mes idées. *(Ils sortent.)*

---

1. *Révérence parler* : formule d'excuse employée par un inférieur devant un supérieur, dans la hiérarchie sociale, quand il craint de choquer par ses paroles.
2. *Secousses* : ici, chocs moraux.

Acte II Scène 4

Après le doux-amer de la scène précédente, à mi-chemin entre le sourire et les larmes, la scène 4 revient au château et nous remet en présence de deux des quatre grotesques qui ont marqué si fort l'acte I : maître Blazius et le baron.

LES SOUBRESAUTS DE PLUCHE, OU LE REGARD DE L'IVROGNE

1. Le premier aspect de cet entretien entre Blazius et le baron est le comique : vous montrerez comment Musset a réussi à conjuguer les différents comiques de mots, de situation et d'action, à la fois dans le présent qui unit momentanément le baron et Blazius, et dans le passé récent que ce dernier relate.

2. Selon la définition du philosophe Bergson (1859 - 1941) dans *le Rire,* le comique est « du mécanique plaqué sur du vivant ». Vous montrerez comment cette définition s'applique très exactement à la description de la scène entre Pluche et Camille.

LE COMIQUE AU SERVICE DE L'INTRIGUE

3. On a eu jusque-là l'impression que les épisodes comiques venaient comme des intermèdes ou des interludes pour distraire momentanément le spectateur d'une tension psychologique trop grande (voir, par exemple, le passage entre la scène 1 et la scène 2 de l'acte II). Vous montrerez qu'il n'en va pas de même ici et que des termes comme « gardeuse de dindons », dénués de sens pour le baron et pour Blazius, sont clairs et lourds de menaces pour Camille et pour le spectateur.

4. L'homme fort et le cuistre pris au dépourvu : analysez les diverses réactions du baron aux révélations successives de Blazius. Ce réel qui continue de se désarticuler sous leurs yeux n'est-il pas en train de changer de coloration ?

UNE SCÈNE ROMANTIQUE ?

5. Vous étudierez comment Musset se fait ici l'écho de la théorie romantique du mélange des genres (voir p. 6 et 158), illustrée de manière plus bruyante par la dramaturgie de Victor Hugo.

SCÈNE 5. *Une fontaine dans un bois.*

Entre PERDICAN, *lisant un billet.* « *Trouvez-vous à midi à la petite fontaine.* » Que veut dire cela ? tant de froideur, un refus si positif, si cruel, un orgueil si insensible, et un rendez-vous par-dessus tout ? Si c'est pour me parler d'affaires,
5 pourquoi choisir un pareil endroit ? Est-ce une coquetterie[1] ? Ce matin, en me promenant avec Rosette, j'ai entendu remuer dans les broussailles, et il m'a semblé que c'était un pas de biche. Y a-t-il ici quelque intrigue ? *(Entre Camille.)*

CAMILLE. Bonjour, cousin ; j'ai cru m'apercevoir, à tort ou
10 à raison, que vous me quittiez tristement ce matin. Vous m'avez pris la main malgré moi, je viens vous demander de me donner la vôtre. Je vous ai refusé un baiser, le voilà. *(Elle l'embrasse.)* Maintenant, vous m'avez dit que vous seriez bien aise de causer de bonne amitié. Asseyez-vous là, et causons. *(Elle s'assoit.)*

15 PERDICAN. Avais-je fait un rêve, ou en fais-je un autre en ce moment ?

CAMILLE. Vous avez trouvé singulier de recevoir un billet de moi, n'est-ce pas ? Je suis d'humeur changeante ; mais vous m'avez dit ce matin un mot très juste : « Puisque nous
20 nous quittons, quittons-nous bons amis. » Vous ne savez pas la raison pour laquelle je pars, et je viens vous la dire : je vais prendre le voile.

PERDICAN. Est-ce possible ? Est-ce toi, Camille, que je vois dans cette fontaine, assise sur les marguerites, comme aux
25 jours d'autrefois ?

CAMILLE. Oui, Perdican, c'est moi. Je viens revivre un quart d'heure de la vie passée. Je vous ai paru brusque et

1. *Coquetterie* : ici, manœuvre calculée de femme qui veut éprouver sa séduction.

hautaine ; cela est tout simple, j'ai renoncé au monde. Cependant, avant de le quitter, je serais bien aise d'avoir
30 votre avis. Trouvez-vous que j'ai raison de me faire religieuse ?

PERDICAN. Ne m'interrogez pas là-dessus, car je ne me ferai jamais moine.

CAMILLE. Depuis près de dix ans que nous avons vécu
35 éloignés l'un de l'autre, vous avez commencé l'expérience de la vie. Je sais quel homme vous êtes, et vous devez avoir beaucoup appris en peu de temps avec un cœur et un esprit comme les vôtres. Dites-moi, avez-vous eu des maîtresses ?

PERDICAN. Pourquoi cela ?

Perdican (Étienne Le Foulon).
Mise en scène de Jean-Pierre Vincent.
Théâtre de Sartrouville, 1988.

40 CAMILLE. Répondez-moi, je vous en prie, sans modestie et sans fatuité[1].

PERDICAN. J'en ai eu.

CAMILLE. Les avez-vous aimées ?

PERDICAN. De tout mon cœur.

45 CAMILLE. Où sont-elles maintenant ? Le savez-vous ?

PERDICAN. Voilà, en vérité, des questions singulières. Que voulez-vous que je vous dise ? Je ne suis ni leur mari ni leur frère ; elles sont allées où bon leur a semblé.

CAMILLE. Il doit nécessairement y en avoir une que vous 50 ayez préférée aux autres. Combien de temps avez-vous aimé celle que vous avez aimée le mieux ?

PERDICAN. Tu es une drôle de fille ! veux-tu te faire mon confesseur ?

CAMILLE. C'est une grâce que je vous demande de me 55 répondre sincèrement. Vous n'êtes point un libertin[2], et je crois que votre cœur a de la probité. Vous avez dû inspirer l'amour, car vous le méritez, et vous ne vous seriez pas livré à un caprice. Répondez-moi, je vous en prie.

PERDICAN. Ma foi, je ne m'en souviens pas.

60 CAMILLE. Connaissez-vous un homme qui n'ait aimé qu'une femme ?

PERDICAN. Il y en a certainement.

CAMILLE. Est-ce un de vos amis ? Dites-moi son nom.

PERDICAN. Je n'ai pas de nom à vous dire ; mais je crois 65 qu'il y a des hommes capables de n'aimer qu'une fois.

CAMILLE. Combien de fois un honnête homme peut-il aimer ?

---

1. *Fatuité* : prétention, vanité.
2. *Libertin* : débauché, dépravé moralement (sens fort du XVIIIe siècle).

PERDICAN. Veux-tu me faire réciter une litanie[1] ; ou récites-tu toi-même un catéchisme[2] ?

70 CAMILLE. Je voudrais m'instruire, et savoir si j'ai tort ou raison de me faire religieuse. Si je vous épousais, ne devriez-vous pas répondre avec franchise à toutes mes questions, et me montrer votre cœur à nu ? Je vous estime beaucoup, et je vous crois, par votre éducation et par votre nature, supérieur 75 à beaucoup d'autres hommes. Je suis fâchée que vous ne vous souveniez plus de ce que je vous demande ; peut-être en vous connaissant mieux je m'enhardirais.

PERDICAN. Où veux-tu en venir ? parle ; je répondrai.

CAMILLE. Répondez donc à ma première question. Ai-je 80 raison de rester au couvent ?

PERDICAN. Non.

CAMILLE. Je ferais donc mieux de vous épouser ?

PERDICAN. Oui.

CAMILLE. Si le curé de votre paroisse soufflait sur un verre 85 d'eau, et vous disait que c'est un verre de vin, le boiriez-vous comme tel ?

PERDICAN. Non.

CAMILLE. Si le curé de votre paroisse soufflait sur vous, et me disait que vous m'aimerez toute votre vie, aurais-je raison 90 de le croire ?

PERDICAN. Oui et non.

---

1. *Litanie* : mot du vocabulaire religieux désignant, à l'origine, une suite de prières courtes et répétitives en l'honneur de Dieu, de la Vierge ou des saints. Par extension, liste ennuyeuse, catalogue fastidieux.
2. *Catéchisme* : formation aux premiers enseignements de la religion, qu'il faut apprendre et savoir par cœur avant de bien les comprendre. Par extension, connaissance apprise mécaniquement sans expérience réelle correspondante ; mots répétés sans qu'on en comprenne véritablement le sens.

CAMILLE. Que me conseilleriez-vous de faire le jour où je verrais que vous ne m'aimez plus ?

PERDICAN. De prendre un amant.

95 CAMILLE. Que ferai-je ensuite le jour où mon amant ne m'aimera plus ?

PERDICAN. Tu en prendras un autre.

CAMILLE. Combien de temps cela durera-t-il ?

PERDICAN. Jusqu'à ce que tes cheveux soient gris, et alors 100 les miens seront blancs.

CAMILLE. Savez-vous ce que c'est que les cloîtres, Perdican ? Vous êtes-vous jamais assis un jour entier sur le banc[1] d'un monastère de femmes ?

PERDICAN. Oui, je m'y suis assis.

105 CAMILLE. J'ai pour amie une sœur[2] qui n'a que trente ans, et qui a eu cinq cent mille livres de revenu à l'âge de quinze ans. C'est la plus belle et la plus noble créature qui ait marché sur terre. Elle était pairesse du parlement[3] et avait pour mari un des hommes les plus distingués de France. Aucune des 110 nobles facultés humaines n'était restée sans culture en elle, et, comme un arbrisseau d'une sève choisie, tous ses bourgeons avaient donné des ramures. Jamais l'amour et le bonheur ne poseront leur couronne fleurie sur un front plus beau ; son mari l'a trompée ; elle a aimé un autre homme, et elle se 115 meurt de désespoir.

PERDICAN. Cela est possible.

---

1. *Banc :* singulier collectif désignant les (rares) emplacements de repos des cloîtres et des couvents, où les religieuses avaient le droit de s'asseoir pour parler.
2. *Sœur :* sens moderne et figuré de « religieuse ».
3. *Pairesse du parlement :* ce titre de haute noblesse n'existe pas en France et ne peut s'appliquer qu'à l'Angleterre du XVIIIe siècle. Cela pourrait être une fantaisie de Musset ; en fait, il faut y voir la transposition d'un souvenir de George Sand (voir p. 139).

CAMILLE. Nous habitons la même cellule, et j'ai passé des nuits entières à parler de ses malheurs ; ils sont presque devenus les miens ; cela est singulier, n'est-ce pas ? Je ne sais
120 trop comment cela se fait. Quand elle me parlait de son mariage, quand elle me peignait d'abord l'ivresse des premiers jours, puis la tranquillité des autres, et comme enfin tout s'était envolé ; comme elle était assise le soir au coin du feu, et lui auprès de la fenêtre, sans se dire un seul mot ; comme
125 leur amour avait langui, et comme tous les efforts pour se rapprocher n'aboutissaient qu'à des querelles ; comme une figure étrangère est venue peu à peu se placer entre eux et se glisser dans leurs souffrances ; c'était moi que je voyais agir tandis qu'elle parlait. Quand elle disait : « Là, j'ai été
130 heureuse », mon cœur bondissait ; et quand elle ajoutait : « Là, j'ai pleuré », mes larmes coulaient. Mais figurez-vous quelque chose de plus singulier encore ; j'avais fini par me créer une vie imaginaire ; cela a duré quatre ans ; il est inutile de vous dire par combien de réflexions, de retours sur moi-
135 même, tout cela est venu. Ce que je voudrais vous raconter comme une curiosité, c'est que tous les récits de Louise, toutes les fictions de mes rêves portaient votre ressemblance.

PERDICAN. Ma ressemblance, à moi ?

CAMILLE. Oui, et cela est naturel : vous étiez le seul homme
140 que j'eusse connu. En vérité, je vous ai aimé, Perdican.

PERDICAN. Quel âge as-tu, Camille ?

CAMILLE. Dix-huit ans.

PERDICAN. Continue, continue ; j'écoute.

CAMILLE. Il y a deux cents femmes dans notre couvent ;
145 un petit nombre de ces femmes ne connaîtra jamais la vie ; et tout le reste attend la mort. Plus d'une parmi elles sont sorties du monastère comme j'en sors aujourd'hui, vierges et pleines d'espérances. Elles sont revenues peu de temps après, vieilles et désolées. Tous les jours il en meurt dans nos
150 dortoirs, et tous les jours il en vient de nouvelles prendre la

place des mortes sur les matelas de crin. Les étrangers qui nous visitent admirent le calme et l'ordre de la maison ; ils regardent attentivement la blancheur de nos voiles, mais ils se demandent pourquoi nous les rabaissons sur nos yeux.
155 Que pensez-vous de ces femmes, Perdican ? Ont-elles tort, ou ont-elles raison ?

PERDICAN. Je n'en sais rien.

CAMILLE. Il s'en est trouvé quelques-unes qui me conseillent de rester vierge. Je suis bien aise de vous consulter. Croyez-
160 vous que ces femmes-là auraient mieux fait de prendre un amant et de me conseiller d'en faire autant ?

PERDICAN. Je n'en sais rien.

CAMILLE. Vous aviez promis de me répondre.

PERDICAN. J'en suis dispensé tout naturellement ; je ne
165 crois pas que ce soit toi qui parles.

CAMILLE. Cela se peut, il doit y avoir dans toutes mes idées des choses très ridicules. Il se peut bien qu'on m'ait fait la leçon, et que je ne sois qu'un perroquet mal appris. Il y a dans la galerie un petit tableau qui représente un moine
170 courbé sur un missel[1] ; à travers les barreaux obscurs de sa cellule glisse un faible rayon de soleil, et on aperçoit une locanda[2] italienne, devant laquelle danse un chevrier. Lequel de ces deux hommes estimez-vous davantage ?

PERDICAN. Ni l'un ni l'autre et tous les deux. Ce sont deux
175 hommes de chair et d'os ; il y en a un qui lit et un autre qui danse ; je n'y vois pas autre chose. Tu as raison de te faire religieuse.

---

1. *Missel* : livre de prières et de liturgie que les fidèles de la religion catholique pratiquent régulièrement, ne serait-ce que lorsqu'ils vont à la messe (*missa,* en latin).
2. *Locanda* : auberge (mot italien).

CAMILLE. Vous me disiez non tout à l'heure.

PERDICAN. Ai-je dit non ? cela est possible.

180 CAMILLE. Ainsi vous me le conseillez ?

PERDICAN. Ainsi tu ne crois à rien ?

CAMILLE. Lève la tête, Perdican ! quel est l'homme qui ne croit à rien ?

PERDICAN, *se levant.* En voilà un ; je ne crois pas à la vie
185 immortelle. – Ma sœur chérie, les religieuses t'ont donné leur expérience ; mais, crois-moi, ce n'est pas la tienne ; tu ne mourras pas sans aimer.

CAMILLE. Je veux aimer, mais je ne veux pas souffrir ; je veux aimer d'un amour éternel, et faire des serments qui ne
190 se violent pas. Voilà mon amant. *(Elle montre son crucifix.)*

PERDICAN. Cet amant-là n'exclut pas les autres.

CAMILLE. Pour moi, du moins, il les exclura. Ne souriez pas, Perdican ! Il y a dix ans que je ne vous ai vu, et je pars demain. Dans dix autres années, si nous nous revoyons, nous
195 en reparlerons. J'ai voulu ne pas rester dans votre souvenir comme une froide statue, car l'insensibilité mène au point où j'en suis. Écoutez-moi ; retournez à la vie, et tant que vous serez heureux, tant que vous aimerez comme on peut aimer sur la terre, oubliez votre sœur Camille ; mais s'il vous arrive
200 jamais d'être oublié ou d'oublier vous-même, si l'ange de l'espérance vous abandonne, lorsque vous serez seul avec le vide dans le cœur, pensez à moi qui prierai pour vous.

PERDICAN. Tu es une orgueilleuse ; prends garde à toi.

CAMILLE. Pourquoi ?

205 PERDICAN. Tu as dix-huit ans, et tu ne crois pas à l'amour ?

CAMILLE. Y croyez-vous, vous qui parlez ? Vous voilà courbé près de moi avec des genoux qui se sont usés sur les tapis de vos maîtresses, et vous n'en savez plus le nom. Vous avez
210 pleuré des larmes de joie et des larmes de désespoir ; mais vous saviez que l'eau des sources est plus constante que vos

larmes, et qu'elle serait toujours là pour laver vos paupières gonflées. Vous faites votre métier de jeune homme, et vous souriez quand on vous parle de femmes désolées ; vous ne
215 croyez pas qu'on puisse mourir d'amour, vous qui vivez et qui avez aimé. Qu'est-ce donc que le monde ? Il me semble que vous devez cordialement mépriser les femmes qui vous prennent tel que vous êtes, et qui chassent leur dernier amant pour vous attirer dans leurs bras avec les baisers d'un autre
220 sur les lèvres. Je vous demandais tout à l'heure si vous aviez aimé ; vous m'avez répondu comme un voyageur à qui l'on demanderait s'il a été en Italie ou en Allemagne, et qui dirait : Oui j'y ai été ; puis qui penserait à aller en Suisse, ou dans le premier pays venu. Est-ce donc une monnaie que
225 votre amour, pour qu'il puisse passer ainsi de mains en mains jusqu'à la mort ? Non, ce n'est pas même une monnaie, car la plus mince pièce d'or vaut mieux que vous, et, dans quelques mains qu'elle passe, elle garde son effigie[1].

PERDICAN. Que tu es belle, Camille, lorsque tes yeux
230 s'animent !

CAMILLE. Oui, je suis belle, je le sais. Les complimenteurs ne m'apprendront rien ; la froide nonne qui coupera mes cheveux pâlira peut-être de sa mutilation ; mais ils ne se changeront pas en bagues et en chaînes pour courir les
235 boudoirs[2] ; il n'en manquera pas un seul sur ma tête lorsque le fer y passera ; je ne veux qu'un coup de ciseau, et quand le prêtre qui me bénira me mettra au doigt l'anneau d'or de

1. *Son effigie* : la figure du personnage ou de l'allégorie qui est gravée dessus.
2. *Boudoirs* : petits salons. Ce sont les pièces confidentielles où les femmes de la haute société recevaient leurs relations intimes, ami(e)s et amants. Le mot prend vite en littérature la coloration du libertinage et de la dépravation élégante et raffinée.

mon époux céleste, la mèche de cheveux que je lui[1] donnerai pourra lui[2] servir de manteau.

240 PERDICAN. Tu es en colère, en vérité.

CAMILLE. J'ai eu tort de parler ; j'ai ma vie entière sur les lèvres. Ô Perdican ! ne raillez pas, tout cela est triste à mourir.

PERDICAN. Pauvre enfant, je te laisse dire, et j'ai bien envie de te répondre un mot. Tu me parles d'une religieuse qui me 245 paraît avoir eu sur toi une influence funeste ; tu dis qu'elle a été trompée, qu'elle a trompé elle-même, et qu'elle est désespérée. Es-tu sûre que si son mari ou son amant revenait lui tendre la main à travers la grille du parloir, elle ne lui tendrait pas la sienne ?

250 CAMILLE. Qu'est-ce que vous dites ? J'ai mal entendu.

PERDICAN. Es-tu sûre que si son mari ou son amant revenait lui dire de souffrir encore, elle répondrait non ?

CAMILLE. Je le crois.

PERDICAN. Il y a deux cents femmes dans ton monastère, 255 et la plupart ont au fond du cœur des blessures profondes ; elles te les ont fait toucher ; et elles ont coloré ta pensée virginale des gouttes de leur sang. Elles ont vécu, n'est-ce pas ? et elles t'ont montré avec horreur la route de leur vie ; tu t'es signée[3] devant leurs cicatrices, comme devant les plaies 260 de Jésus[4] ; elles t'ont fait une place dans leurs processions

1. *Lui :* le pronom personnel représente grammaticalement le prêtre qui recevra les vœux solennels de Camille ; mais un glissement de sens est possible vers l'« époux céleste ».

2. *Lui :* cette fois, l'anacoluthe (voir p. 154) est consommée et le pronom personnel représente ici indiscutablement l'« époux céleste » et non plus le prêtre. L'ambiguïté n'est que grammaticale ; il n'y a aucun doute sémantique sur l'identification de ce « lui ».

3. *Tu t'es signée :* tu as fait le signe de la croix, en signe de respect religieux pour une sainte douleur.

4. *Les plaies de Jésus :* les blessures, ou stigmates (aux pieds, aux mains et sur le côté droit), reçues lors de la crucifixion.

lugubres, et tu te serres contre ces corps décharnés avec une crainte religieuse lorsque tu vois passer un homme. Es-tu sûre que si l'homme qui passe était celui qui les a trompées, celui pour qui elles pleurent et elles souffrent, celui qu'elles
265 maudissent en priant Dieu, es-tu sûre qu'en le voyant elles ne briseraient pas leurs chaînes pour courir à leurs malheurs passés, et pour presser leurs poitrines sanglantes sur le poignard qui les a meurtries ? Ô mon enfant ! sais-tu les rêves de ces femmes qui te disent de ne pas rêver ? Sais-tu quel nom elles
270 murmurent quand les sanglots qui sortent de leurs lèvres font trembler l'hostie[1] qu'on leur présente ? Elles qui s'assoient près de toi avec leurs têtes branlantes pour verser dans ton oreille leur vieillesse flétrie, elles qui sonnent dans les ruines de ta jeunesse le tocsin[2] de leur désespoir, et qui font sentir
275 à ton sang vermeil la fraîcheur de leur tombe, sais-tu qui elles sont ?

CAMILLE. Vous me faites peur ; la colère vous prend aussi.

PERDICAN. Sais-tu ce que c'est que des nonnes, malheureuse fille ? Elles qui te représentent l'amour des hommes comme
280 un mensonge, savent-elles qu'il y a pis encore, le mensonge de l'amour divin ? Savent-elles que c'est un crime qu'elles font, de venir chuchoter à une vierge des paroles de femme ? Ah ! comme elles t'ont fait la leçon ! Comme j'avais prévu tout cela quand tu t'es arrêtée devant le portrait de notre
285 vieille tante ! Tu voulais partir sans me serrer la main ; tu ne voulais revoir ni ce bois, ni cette pauvre petite fontaine qui nous regarde tout en larmes ; tu reniais les jours de ton enfance, et le masque de plâtre que les nonnes t'ont placé

---

1. *Hostie* : petite rondelle de pain azyme qui symbolise le corps du Christ dans le mystère de la messe. Lors de la communion, le fidèle reçoit l'hostie consacrée des mains du prêtre.
2. *Tocsin* : sonnerie d'alarme et de deuil lancée par les cloches des églises.

Camille (Isabelle Huppert) et Perdican (Didier Haudepin).
Mise en scène de Caroline Huppert.
Bouffes-du-Nord, 1977.

sur les joues me refusait un baiser de frère ; mais ton cœur
290 a battu ; il a oublié sa leçon, lui qui ne sait pas lire, et tu
es revenue t'asseoir sur l'herbe où nous voilà. Eh bien !
Camille, ces femmes ont bien parlé ; elles t'ont mise dans le
vrai chemin ; il pourra m'en coûter le bonheur de ma vie ;
mais dis-leur cela de ma part : le ciel n'est pas pour elles.

295 CAMILLE. Ni pour moi, n'est-ce pas ?

PERDICAN. Adieu Camille, retourne à ton couvent, et
lorsqu'on te fera de ces récits hideux qui t'ont empoisonnée,
réponds ce que je vais te dire : Tous les hommes sont
menteurs, inconstants, faux, bavards, hypocrites, orgueilleux
300 ou lâches, méprisables et sensuels ; toutes les femmes sont
perfides, artificieuses, vaniteuses, curieuses et dépravées ; le

monde n'est qu'un égout sans fond où les phoques les plus informes rampent et se tordent sur des montagnes de fange[1] ; mais il y a au monde une chose sainte et sublime, c'est
305 l'union de deux de ces êtres si imparfaits et si affreux. On est souvent trompé en amour, souvent blessé et souvent malheureux ; mais on aime, et quand on est sur le bord de sa tombe, on se retourne pour regarder en arrière, et on se dit : J'ai souffert souvent, je me suis trompé quelquefois, mais
310 j'ai aimé. C'est moi qui ai vécu, et non pas un être factice[2] créé par mon orgueil et mon ennui. *(Il sort.)*

1. *Fange :* boue.
2. *Factice :* artificiel.

Acte II Scène 5

La première grande scène d'amour – car c'en est une, en dépit des apparences – va se dérouler au bord d'une fontaine. Elle met aux prises une Camille bien décidée à triompher et un Perdican d'abord abasourdi et maladroit, puis regimbant pour échapper au piège logique dans lequel son interlocutrice aura presque réussi à l'enfermer.

LA CONDUITE DE LA SCÈNE

1. Par rapport aux scènes précédentes, la dernière scène de l'acte II est beaucoup plus longue. Vous en dégagerez l'architecture littéraire et la progression psychologique.

2. Toute scène entre Camille et Perdican a inéluctablement les allures d'un rapport de force. Vous vous interrogerez sur ce qui se passe ici : la position des deux protagonistes est-elle la même au départ et à l'arrivée ?

CAMILLE ET LA DIALECTIQUE AMOUREUSE

3. Camille mène le jeu dans une bonne partie de la scène. Vous étudierez l'habileté avec laquelle elle joue d'abord de l'effet de surprise du rendez-vous qu'elle a provoqué, puis réussit à le prolonger face à Perdican.

4. Cette « chronique d'une prise de voile annoncée » (première partie de la scène) est à la fois érotique et religieuse. Dégagez-en les diverses composantes dans les propos de Camille (l. 26 à 173).

5. La vie conjugale selon Camille : organisez un commentaire composé (oral ou écrit) sur le récit des malheurs de la sœur Louise, étonnante rétrospective – ou anticipation de ce qui attend Camille, selon elle (l. 105 à 137).

6. Le deuxième « morceau de bravoure » de Camille est sa longue attaque contre l'inconstance des hommes en général et les traîtrises de Perdican en particulier (l. 207 à 228). Ce passage pourrait être détaché du contexte et recevoir une valeur générale, voire emblématique du rapport entre les sexes. Vous en ferez le

commentaire composé, en insistant par exemple sur la force des arguments de Camille et sur la passion qui l'anime.

7. Que peut-on penser, à la fin, de l'aveu de Camille : « Tout cela est triste à mourir » ? Argumentez précisément votre réponse.

PERDICAN OU LE JEUNE PREMIER CONFONDU

8. Face à Camille, qui a l'avantage de la surprise, du moment et du lieu, Perdican semble d'abord perdre pied. Vous examinerez, à travers ses répliques, comment leur légèreté et leur cynisme cachent peut-être un trouble et un désarroi plus profonds.

9. Perdican ne se ressaisit vraiment que quand Camille semble faiblir (l. 241). Selon vous, est-ce ou non habile de sa part ? Justifiez votre point de vue par un recours au texte.

10. Il développe alors, en trois tirades (l. 254 à 276, 278 à 294 et 296 à 311), un système de réponse qui n'en est pas vraiment un, puisqu'il ne « répond » pas aux questions insidieuses posées par Camille à propos de lui-même, mais il attaque la religion qui a, selon lui, corrompu l'innocence de Camille. Vous choisirez à votre convenance l'une des trois tirades pour en faire un commentaire qui privilégiera trois aspects : d'abord les arguments mis en avant par Perdican, puis l'absence de réponse réelle à Camille, enfin le style et les images employés.

Ensemble de l'acte II

L'acte I avait été celui de la comédie, un peu caricaturale parfois. Par la violence à peine contenue des sentiments des protagonistes, l'acte II fait évoluer l'atmosphère vers une tension plus dramatique et pathétique.

1. Vous examinerez comment les changements de style et de langage traduisent cette évolution.

2. Vous étudierez l'art des images dans le dialogue amoureux.

3. Musset écrit *On ne badine pas avec l'amour* avant et après la « crise vénitienne » (voir p. 9). Plusieurs critiques ont cru voir dans l'acte II le moment où la jonction se fait entre les deux périodes d'écriture. Vous essaierez à votre tour, en fonction des problèmes abordés et du ton choisi pour ce faire, de repérer le moment possible de cette rupture dans l'écriture de Musset.

Acte III

SCÈNE PREMIÈRE. *Devant le château.*
Entrent LE BARON *et* MAÎTRE BLAZIUS.

LE BARON. Indépendamment de votre ivrognerie, vous êtes un bélître[1], maître Blazius. Mes valets vous voient entrer furtivement dans l'office, et quand vous êtes convaincu d'avoir volé mes bouteilles de la manière la plus pitoyable, vous
5 croyez vous justifier en accusant ma nièce d'une correspondance secrète.

MAÎTRE BLAZIUS. Mais, monseigneur, veuillez vous rappeler...

LE BARON. Sortez, monsieur l'abbé, et ne reparaissez jamais
10 devant moi ; il est déraisonnable d'agir comme vous le faites, et ma gravité[2] m'oblige à ne vous pardonner de ma vie. *(Il sort ; maître Blazius le suit. Entre Perdican.)*

PERDICAN. Je voudrais bien savoir si je suis amoureux. D'un côté, cette manière d'interroger tant soit peu cavalière pour une fille de dix-huit ans ; d'un autre, les idées que ces
15 nonnes lui ont fourrées dans la tête auront de la peine à se corriger. De plus, elle doit partir aujourd'hui. Diable ! je l'aime, cela est sûr. Après tout, qui sait ? peut-être elle répétait une leçon, et d'ailleurs il est clair qu'elle ne se soucie pas de moi. D'une autre part, elle a beau être jolie, cela n'empêche
20 pas qu'elle n'ait des manières beaucoup trop décidées, et un

---

1. *Bélître :* mot injurieux, synonyme de coquin et de sot, après avoir longtemps désigné (de par sa dérivation de l'allemand *Bettler*) un mendiant et un gueux.
2. *Ma gravité :* mon sérieux.

ton trop brusque. Je n'ai qu'à n'y plus penser ; il est clair que je ne l'aime pas. Cela est certain qu'elle est jolie ; mais pourquoi cette conversation d'hier ne veut-elle pas me sortir de la tête ? En vérité, j'ai passé la nuit à radoter[1]. – Où
25 vais-je donc ? – Ah ! je vais au village. *(Il sort.)*

SCÈNE 2. *Un chemin.*

Entre MAÎTRE BRIDAINE. Que font-ils maintenant ? Hélas ! voilà midi. – Ils sont à table. Que mangent-ils ? que ne mangent-ils pas ? J'ai vu la cuisinière traverser le village avec un énorme dindon. L'aide portait les truffes, avec un panier
5 de raisins. *(Entre maître Blazius.)*

MAÎTRE BLAZIUS. Ô disgrâce imprévue ! me voilà chassé du château, par conséquent de la salle à manger. Je ne boirai plus le vin de l'office.

MAÎTRE BRIDAINE. Je ne verrai plus fumer les plats ; je ne
10 chaufferai plus au feu de la noble cheminée mon ventre copieux.

MAÎTRE BLAZIUS. Pourquoi une fatale curiosité m'a-t-elle poussé à écouter le dialogue de dame Pluche et de sa nièce ? Pourquoi ai-je rapporté au baron tout ce que j'ai vu ?

15 MAÎTRE BRIDAINE. Pourquoi un vain orgueil m'a-t-il éloigné de ce dîner honorable, où j'étais si bien accueilli ? Que m'importait d'être à droite ou à gauche ?

MAÎTRE BLAZIUS. Hélas ! j'étais gris[2], il faut en convenir, lorsque j'ai fait cette folie.

---

1. *Radoter* : rabâcher les mêmes idées.
2. *Gris* : ivre.

20 MAÎTRE BRIDAINE. Hélas ! le vin m'avait monté à la tête quand j'ai commis cette imprudence.

MAÎTRE BLAZIUS. Il me semble que voilà le curé.

MAÎTRE BRIDAINE. C'est le gouverneur en personne.

MAÎTRE BLAZIUS. Oh ! oh ! monsieur le curé, que faites-
25 vous là ?

MAÎTRE BRIDAINE. Moi ! je vais dîner. N'y venez-vous pas ?

MAÎTRE BLAZIUS. Pas aujourd'hui. Hélas ! maître Bridaine, intercédez[1] pour moi ; le baron m'a chassé. J'ai accusé
30 faussement Mlle Camille d'avoir une correspondance secrète, et cependant Dieu m'est témoin que j'ai vu ou que j'ai cru voir dame Pluche dans la luzerne. Je suis perdu, monsieur le curé.

MAÎTRE BRIDAINE. Que m'apprenez-vous là ?

35 MAÎTRE BLAZIUS. Hélas ! hélas ! la vérité. Je suis en disgrâce complète pour avoir volé une bouteille.

MAÎTRE BRIDAINE. Que parlez-vous, messire, de bouteilles volées à propos d'une luzerne et d'une correspondance ?

MAÎTRE BLAZIUS. Je vous supplie de plaider ma cause. Je
40 suis honnête, seigneur Bridaine. Ô digne seigneur Bridaine, je suis votre serviteur !

MAÎTRE BRIDAINE, *à part.* Ô fortune ! est-ce un rêve ? Je serai donc assis sur toi, ô chaise bienheureuse !

MAÎTRE BLAZIUS. Je vous serai reconnaissant d'écouter mon
45 histoire, et de vouloir bien m'excuser, brave seigneur, cher curé.

MAÎTRE BRIDAINE. Cela m'est impossible, monsieur ; il est midi sonné, et je m'en vais dîner. Si le baron se plaint de vous, c'est votre affaire. Je n'intercède point pour un ivrogne.

---

1. *Intercédez* : ici, intervenez en ma faveur.

50 *(À part.)* Vite, volons à la grille ; et toi, mon ventre, arrondis-toi. *(Il sort en courant.)*

MAÎTRE BLAZIUS, *seul.* Misérable Pluche ! c'est toi qui payeras pour tous ; oui, c'est toi qui es la cause de ma ruine, femme déhontée[1], vile entremetteuse[2], c'est à toi que je dois
55 cette disgrâce. Ô sainte Université de Paris ! on me traite d'ivrogne ! Je suis perdu si je ne saisis une lettre, et si je ne prouve au baron que sa nièce a une correspondance. Je l'ai vue ce matin écrire à son bureau. Patience ! voici du nouveau. *(Passe dame Pluche portant une lettre.)* Pluche, donnez-moi cette
60 lettre.

DAME PLUCHE. Que signifie cela ? C'est une lettre de ma maîtresse que je vais mettre à la poste au village.

MAÎTRE BLAZIUS. Donnez-la-moi, ou vous êtes morte.

DAME PLUCHE. Moi, morte ! morte ! Marie, Jésus, vierge
65 et martyr !

MAÎTRE BLAZIUS. Oui, morte, Pluche ! Donnez-moi ce papier. *(Ils se battent. Entre Perdican.)*

PERDICAN. Qu'y a-t-il ? Que faites-vous Blazius ? Pourquoi violenter[3] cette femme ?

70 DAME PLUCHE. Rendez-moi la lettre. Il me l'a prise, seigneur ; justice !

MAÎTRE BLAZIUS. C'est une entremetteuse, seigneur. Cette lettre est un billet doux.

DAME PLUCHE. C'est une lettre de Camille, seigneur, de
75 votre fiancée.

MAÎTRE BLAZIUS. C'est un billet doux à un gardeur de dindons.

---

1. *Déhontée :* vieux mot pour « éhontée ».
2. *Entremetteuse :* intrigante qui s'occupe – souvent moyennant finances – de favoriser des aventures galantes.
3. *Violenter :* faire violence à (sens littéraire).

DAME PLUCHE. Tu en as menti, abbé. Apprends cela de moi.

80 PERDICAN. Donnez-moi cette lettre ; je ne comprends rien à votre dispute ; mais en qualité de fiancé de Camille, je m'arroge le droit de la lire. *(Il lit.)* « *À la sœur Louise, au couvent de***.* » *(À part.)* Quelle maudite curiosité me saisit malgré moi ! Mon cœur bat avec force, et je ne sais ce que 85 j'éprouve. – Retirez-vous, dame Pluche ; vous êtes une digne femme, et maître Blazius est un sot. Allez dîner ; je me charge de remettre cette lettre à la poste. *(Sortent maître Blazius et dame Pluche.)*

PERDICAN, *seul.* Que ce soit un crime d'ouvrir une lettre, je le sais trop bien pour le faire. Que peut dire Camille à 90 cette sœur ? Suis-je donc amoureux ? Quel empire a donc pris sur moi cette singulière fille, pour que les trois mots écrits sur cette adresse me fassent trembler la main ? Cela est singulier ; Blazius, en se débattant avec la dame Pluche, a fait sauter le cachet. Est-ce un crime de rompre le pli[1] ? 95 Bon, je n'y changerai rien. *(Il ouvre la lettre et lit.)*

« *Je pars aujourd'hui, ma chère, et tout est arrivé comme je l'avais prévu. C'est une terrible chose ; mais ce pauvre jeune homme a le poignard dans le cœur ; il ne se consolera pas de m'avoir perdue. Cependant j'ai fait tout au monde pour le dégoûter de moi. Dieu* 100 *me pardonnera de l'avoir réduit au désespoir par mon refus. Hélas ! ma chère, que pouvais-je y faire ? Priez pour moi ; nous nous reverrons demain, et pour toujours. Toute à vous du meilleur de mon âme.*

CAMILLE. »

---

1. *Le cachet ... le pli* : la correspondance de l'époque ne connaît pas l'enveloppe. On plie la feuille où l'on a écrit, on cachette le pli avec de la cire sur laquelle on appose une marque personnelle (chaton gravé d'une bague, par exemple) et l'on écrit l'adresse au verso de la feuille ainsi cachetée.

105 Est-il possible ? Camille écrit cela ! C'est de moi qu'elle parle ainsi ! Moi au désespoir de son refus ! Eh ! bon Dieu ! si cela était vrai, on le verrait bien ; quelle honte peut-il y avoir à aimer ? Elle a fait tout au monde pour me dégoûter, dit-elle, et j'ai le poignard dans le cœur ! Quel intérêt peut-elle
110 avoir à inventer un roman pareil ? Cette pensée que j'avais cette nuit est-elle donc vraie ? Ô femmes ! Cette pauvre Camille a peut-être une grande piété ! c'est de bon cœur qu'elle se donne à Dieu, mais elle a résolu et décrété qu'elle me laisserait au désespoir. Cela était convenu entre les bonnes
115 amies avant de partir du couvent. On a décidé que Camille allait revoir son cousin, qu'on le lui voudrait faire épouser, qu'elle refuserait, et que le cousin serait désolé. Cela est si intéressant, une jeune fille qui fait à Dieu le sacrifice du bonheur d'un cousin ! Non, non, Camille, je ne t'aime pas,
120 je ne suis pas au désespoir, je n'ai pas le poignard dans le cœur, et je te le prouverai. Oui, tu sauras que j'en aime une autre avant de partir d'ici. Holà ! brave homme ! *(Entre un paysan.)* Allez au château ; dites à la cuisine qu'on envoie un valet porter à Mlle Camille le billet que voici. *(Il écrit.)*

125 LE PAYSAN. Oui, monseigneur. *(Il sort.)*

PERDICAN. Maintenant, à l'autre. Ah ! je suis au désespoir ! Holà, Rosette, Rosette ! *(Il frappe à une porte.)*

ROSETTE, *ouvrant.* C'est vous, monseigneur ! Entrez, ma mère y est.

130 PERDICAN. Mets ton plus beau bonnet, Rosette, et viens avec moi.

ROSETTE. Où donc ?

PERDICAN. Je te le dirai ; demande la permission à ta mère, mais dépêche-toi.

135 ROSETTE. Oui, monseigneur. *(Elle entre dans la maison.)*

PERDICAN. J'ai demandé un nouveau rendez-vous à Camille, et je suis sûr qu'elle y viendra ; mais, par le ciel, elle n'y trouvera pas ce qu'elle compte y trouver. Je veux faire la cour à Rosette devant Camille elle-même.

Acte III Scènes 1 et 2

Avec l'acte III, l'action s'accélère. Musset mélange ainsi dans les deux premières scènes le grotesque des marionnettes et le pathétique des troubles du cœur.

LA TECHNIQUE DRAMATIQUE : LE MÉLANGE DES GENRES ET L'ARTIFICE DE LA LETTRE

1. Vous étudierez comment Musset ménage dans les deux scènes (surtout dans la seconde) le mélange des registres qui fait l'ambiguïté de son proverbe. Y réussit-il vraiment ? Justifiez votre réponse par un recours précis au texte.
2. Face à une situation bloquée, Musset a de nouveau recours à l'artifice de la lettre – interceptée, cette fois-ci. Vous examinerez l'effet théâtral et les résonances psychologiques de cet épisode.

LE DÉPIT AMOUREUX DE PERDICAN

3. L'irrésolution et la légèreté cynique de Perdican se sont transformées en un sentiment sûr vis-à-vis de Camille ; la lettre surprise va provoquer un choc d'autant plus vif et une scène de dépit amoureux. Vous suivrez, à travers les propos du héros, les étapes de son évolution psychologique rapide.
4. Que peut-on penser du recours à Rosette ? Perdican est-il ici vraiment maître de lui-même ?

Vous pourrez comparer cette amorce d'intrigue à celles qui sont menées par les deux héros des *Liaisons dangereuses* de Choderlos de Laclos (1782).

SCÈNE 3. *Le petit bois.*
Entrent CAMILLE *et* LE PAYSAN.

LE PAYSAN. Mademoiselle, je vais au château porter une lettre pour vous ; faut-il que je vous la donne ou que je la remette à la cuisine, comme me l'a dit le seigneur Perdican ?

CAMILLE. Donne-la-moi.

5 LE PAYSAN. Si vous aimez mieux que je la porte au château, ce n'est pas la peine de m'attarder.

CAMILLE. Je te dis de me la donner.

LE PAYSAN. Ce qui vous plaira. *(Il donne la lettre.)*

CAMILLE. Tiens, voilà pour ta peine.

10 LE PAYSAN. Grand merci ; je m'en vais, n'est-ce pas ?

CAMILLE. Si tu veux.

LE PAYSAN. Je m'en vais, je m'en vais. *(Il sort.)*

CAMILLE, *lisant.* Perdican me demande de lui dire adieu, avant de partir, près de la petite fontaine où je l'ai fait venir 15 hier. Que peut-il avoir à me dire ? Voilà justement la fontaine, et je suis toute portée[1]. Dois-je accorder ce second rendez-vous ? Ah ! *(Elle se cache derrière un arbre.)* Voilà Perdican qui approche avec Rosette, ma sœur de lait. Je suppose qu'il va la quitter ; je suis bien aise de ne pas avoir l'air d'arriver la 20 première. *(Entrent Perdican et Rosette qui s'assoient.)*

CAMILLE, *cachée, à part.* Que veut dire cela ? Il la fait asseoir près de lui ? Me demande-t-il un rendez-vous pour y venir causer avec une autre ? Je suis curieuse de savoir ce qu'il lui dit.

25 PERDICAN, *à haute voix, de manière que Camille l'entende.* Je t'aime Rosette ! toi seule au monde tu n'as rien oublié de nos

---

1. *Toute portée* : arrivée.

Perdican (Francis Huster) et Rosette (Anne Petit-Lagrange).
Mise en scène de Simon Eine. Comédie-Française, 1977.

beaux jours passés ; toi seule tu te souviens de la vie qui n'est plus ; prends ta part de ma vie nouvelle ; donne-moi ton cœur, chère enfant ; voilà le gage de notre amour. *(Il lui pose sa chaîne sur le cou.)*

30 ROSETTE. Vous me donnez votre chaîne d'or ?

PERDICAN. Regarde à présent cette bague. Lève-toi et approchons-nous de cette fontaine. Nous vois-tu tous les deux, dans la source, appuyés l'un sur l'autre ? Vois-tu tes beaux yeux près des miens, ta main dans la mienne ? Regarde tout
35 cela s'effacer. *(Il jette sa bague dans l'eau.)* Regarde comme notre image a disparu ; la voilà qui revient peu à peu ; l'eau qui s'était troublée reprend son équilibre ; elle tremble encore ; de grands cercles noirs courent à sa surface ; patience,

nous reparaissons ; déjà je distingue de nouveau tes bras
40 enlacés dans les miens ; encore une minute, et il n'y aura
plus une ride sur ton joli visage ; regarde ! c'était une bague
que m'avait donnée Camille.

CAMILLE, *à part*. Il a jeté ma bague dans l'eau.

PERDICAN. Sais-tu ce que c'est que l'amour, Rosette ?
45 Écoute ! le vent se tait ; la pluie du matin roule en perles
sur les feuilles séchées que le soleil ranime. Par la lumière du
ciel, par le soleil que voilà, je t'aime ! Tu veux bien de moi,
n'est-ce pas ? On n'a pas flétri ta jeunesse ; on n'a pas infiltré
dans ton sang vermeil les restes d'un sang affadi. Tu ne veux
50 pas te faire religieuse ; te voilà jeune et belle dans les bras
d'un jeune homme. Ô Rosette, Rosette ! sais-tu ce que c'est
que l'amour ?

ROSETTE. Hélas ! monsieur le docteur, je vous aimerai
comme je pourrai.

55 PERDICAN. Oui, comme tu pourras ; et tu m'aimeras mieux,
tout docteur que je suis et toute paysanne que tu es, que ces
pâles statues fabriquées par les nonnes, qui ont la tête à la
place du cœur, et qui sortent des cloîtres pour venir répandre
dans la vie l'atmosphère humide de leurs cellules ; tu ne sais
60 rien ; tu ne lirais pas dans un livre la prière que ta mère
t'apprend, comme elle l'a apprise de sa mère ; tu ne comprends
même pas le sens des paroles que tu répètes, quand tu
t'agenouilles au pied de ton lit ; mais tu comprends bien que
tu pries, et c'est tout ce qu'il faut à Dieu.

65 ROSETTE. Comme vous me parlez, monseigneur !

PERDICAN. Tu ne sais pas lire ; mais tu sais ce que disent
ces bois et ces prairies, ces tièdes rivières, ces beaux champs
couverts de moissons, toute cette nature splendide de jeunesse.
Tu reconnais tous ces milliers de frères, et moi pour l'un
70 d'entre eux ; lève-toi, tu seras ma femme, et nous prendrons
racine ensemble dans la sève du monde tout-puissant.
(Il sort avec Rosette.)

SCÈNE 4.

Entre LE CHŒUR. Il se passe assurément quelque chose d'étrange au château ; Camille a refusé d'épouser Perdican ; elle doit retourner aujourd'hui au couvent dont[1] elle est venue. Mais je crois que le seigneur son cousin s'est consolé avec
5 Rosette. Hélas ! la pauvre fille ne sait pas quel danger elle court en écoutant les discours d'un jeune et galant seigneur.

DAME PLUCHE, *entrant*. Vite, vite, qu'on selle mon âne !

LE CHŒUR. Passerez-vous comme un songe léger, ô vénérable dame ? Allez-vous si promptement enfourcher derechef[2] cette
10 pauvre bête qui est si triste de vous porter ?

DAME PLUCHE. Dieu merci, chère canaille, je ne mourrai pas ici.

LE CHŒUR. Mourez au loin, Pluche, ma mie ; mourez inconnue dans un caveau[3] malsain. Nous ferons des vœux
15 pour votre respectable résurrection.

DAME PLUCHE. Voici ma maîtresse qui s'avance. *(À Camille qui entre.)* Chère Camille, tout est prêt pour notre départ ; le baron a rendu ses comptes, et mon âne est bâté.

CAMILLE. Allez au diable, vous et votre âne, je ne partirai
20 pas aujourd'hui. *(Elle sort.)*

LE CHŒUR. Que veut dire ceci ? Dame Pluche est pâle de terreur ; ses faux cheveux tentent de se hérisser, sa poitrine siffle avec force et ses doigts s'allongent en se crispant.

DAME PLUCHE. Seigneur Jésus ! Camille a juré ! *(Elle sort.)*

1. *Dont* : d'où (emploi ancien).
2. *Derechef* : de nouveau.
3. *Caveau* : chambre ou cellule de couvent, comparée implicitement à une chambre sépulcrale.

SCÈNE 5. *Entrent* LE BARON *et* MAÎTRE BRIDAINE.

MAÎTRE BRIDAINE. Seigneur, il faut que je vous parle en particulier. Votre fils fait la cour à une fille du village.

LE BARON. C'est absurde, mon ami.

MAÎTRE BRIDAINE. Je l'ai vu distinctement passer dans la
5 bruyère en lui donnant le bras ; il se penchait à son oreille, et lui promettait de l'épouser.

LE BARON. Cela est monstrueux.

MAÎTRE BRIDAINE. Soyez-en convaincu ; il lui a fait un présent considérable, que la petite a montré à sa mère.

10 LE BARON. Ô ciel ! considérable, Bridaine ? En quoi considérable ?

MAÎTRE BRIDAINE. Pour le poids et pour la conséquence. C'est la chaîne d'or qu'il portait à son bonnet.

LE BARON. Passons dans mon cabinet ; je ne sais à quoi
15 m'en tenir. *(Ils sortent.)*

Maître Bridaine (Igor Tyczka) et le baron (Alain Mac Moy). Mise en scène de Guy Rétoré. T.E.P., 1979.

Acte III Scènes 3 à 5

PIÈGE MORTEL

La scène 3 de l'acte III pourrait être une scène de comédie et presque de farce : Camille, cachée, écoute la déclaration passionnée de Perdican à Rosette. Pourtant, c'est ici que le piège de l'amour se referme sur cette dernière.

1. Jusque-là, le drame amoureux ne mettait aux prises que des gens du même rang et de la même éducation, malgré les différences : Perdican et Camille savent tous les deux ce que parler veut dire, on a pu le constater lors de leurs rencontres antérieures. Vous montrerez, en analysant les rapports entre Perdican et Rosette, comment l'arrivée de cette dernière fausse totalement les données du problème initial.

2. Malgré ses tirades de la scène 5 de l'acte II, morceaux de bravoure destinés à impressionner Camille, Perdican a été mis en échec et il en a eu la révélation par la lettre interceptée. Cela est visiblement insupportable à son orgueil comme à son cœur : comment ses discours enflammés à Rosette manifestent-ils un aspect marqué de revanche sur l'humiliation que vient de lui infliger Camille ?

3. L'admiration éperdue de Rosette se manifeste par trois phrases brèves. Que traduisent-elles vraiment, selon vous ?

4. Dégagez le plan et analysez les différents registres développés par Perdican dans sa déclaration d'amour, à peine interrompue par les balbutiements de Rosette.

5. Une comparaison pourrait être éclairante entre Perdican et Valmont, le séducteur cynique des *Liaisons dangereuses.* Vous relèverez et analyserez les propos à double sens adressés apparemment à Rosette, en réalité à Camille cachée derrière la fontaine.

6. Indépendamment de l'intrigue dangereuse qu'ils nouent plus ou moins consciemment, les propos de Perdican sont aussi ceux d'un jeune homme fou d'amour au sein de la nature. Vous étudierez les moyens littéraires mis en œuvre par Musset pour faire vibrer ce lyrisme amoureux : rythme, images, vocabulaire, intonation, etc.

LE REGARD D'AUTRUI

Les brèves scènes 4 et 5 montrent le fossé qui se creuse désormais entre les protagonistes du drame amoureux et leur entourage.

7. Les propos liminaires du chœur sont les seuls pertinents de ces deux scènes ; vous montrerez leur valeur prémonitoire, assez proche du genre de propos du chœur dans la tragédie antique.

8. Dame Pluche, maître Bridaine et le baron gardent leur aspect de pantins désarçonnés et désarticulés. Vous ferez une étude rapide de leur conduite de fuite développée devant un réel sur lequel ils n'ont décidément plus de prise.

SCÈNE 6. *La chambre de Camille.*
Entrent CAMILLE *et* DAME PLUCHE.

CAMILLE. Il a pris ma lettre, dites-vous ?

DAME PLUCHE. Oui, mon enfant ; il s'est chargé de la mettre à la poste.

CAMILLE. Allez au salon, dame Pluche, et faites-moi le plaisir
5 de dire à Perdican que je l'attends ici. *(Dame Pluche sort.)* Il a lu ma lettre, cela est certain ; sa scène du bois est une vengeance, comme son amour pour Rosette. Il a voulu me prouver qu'il en aimait une autre que moi, et jouer l'indifférent malgré son dépit. Est-ce qu'il m'aimerait, par hasard ? *(Elle*
10 *lève la tapisserie.)* Es-tu là, Rosette ?

ROSETTE, *entrant.* Oui ; puis-je entrer ?

CAMILLE. Écoute-moi, mon enfant ; le seigneur Perdican ne te fait-il pas la cour ?

ROSETTE. Hélas ! oui.

15 CAMILLE. Que penses-tu de ce qu'il t'a dit ce matin ?

ROSETTE. Ce matin ? Où donc ?

CAMILLE. Ne fais pas l'hypocrite. — Ce matin à la fontaine, dans le petit bois.

ROSETTE. Vous m'avez donc vue ?

20 CAMILLE. Pauvre innocente ! Non, je ne t'ai pas vue. Il t'a fait de beaux discours, n'est-ce pas ? Gageons qu'il t'a promis de t'épouser.

ROSETTE. Comment le savez-vous ?

CAMILLE. Qu'importe comment je le sais ? Crois-tu à ses
25 promesses, Rosette ?

ROSETTE. Comment n'y croirais-je pas ? Il me tromperait donc ? Pourquoi faire ?

CAMILLE. Perdican ne t'épousera pas, mon enfant.

ROSETTE. Hélas ! je n'en sais rien.

30 CAMILLE. Tu l'aimes, pauvre fille ; il ne t'épousera pas, et

Camille (Élodie Roire).
Mise en scène de Viviane Théophilidès.
Théâtre 71, Malakoff, 1987.

la preuve, je vais te la donner ; rentre derrière ce rideau, tu n'auras qu'à prêter l'oreille et à venir quand je t'appellerai. *(Rosette sort.)*

CAMILLE, *seule.* Moi qui croyais faire un acte de vengeance, ferais-je un acte d'humanité ? La pauvre fille a le cœur pris.
35 *(Entre Perdican.)* Bonjour, cousin, asseyez-vous.

PERDICAN. Quelle toilette, Camille ! À qui en voulez-vous ?

CAMILLE. À vous, peut-être ; je suis fâchée de n'avoir pu me rendre au rendez-vous que vous m'avez demandé ; vous aviez quelque chose à me dire ?

40 PERDICAN, *à part.* Voilà, sur ma vie, un petit mensonge assez gros pour un agneau sans tache : je l'ai vue derrière un arbre écouter la conversation. *(Haut.)* Je n'ai rien à vous dire, qu'un adieu, Camille ; je croyais que vous partiez ; cependant, votre cheval est à l'écurie, et vous n'avez pas l'air d'être en
45 robe de voyage.

CAMILLE. J'aime la discussion ; je ne suis pas bien sûre de ne pas avoir eu envie de me quereller encore avec vous.

PERDICAN. À quoi sert de se quereller, quand le raccommodement est impossible ? Le plaisir des disputes, c'est de
50 faire la paix.

CAMILLE. Êtes-vous convaincu que je ne veuille pas la faire ?

PERDICAN. Ne raillez pas, je ne suis pas de force à vous répondre.

55 CAMILLE. Je voudrais qu'on me fît la cour ; je ne sais si c'est que j'ai une robe neuve, mais j'ai envie de m'amuser. Vous m'avez proposé d'aller au village, allons-y, je veux bien ; mettons-nous en bateau ; j'ai envie d'aller dîner sur l'herbe, ou de faire une promenade dans la forêt. Fera-t-il clair
60 de lune, ce soir ? Cela est singulier, vous n'avez plus au doigt la bague que je vous ai donnée ?

PERDICAN. Je l'ai perdue.

CAMILLE. C'est donc pour cela que je l'ai trouvée ; tenez, Perdican, la voilà.

65 PERDICAN. Est-ce possible ? Où l'avez-vous trouvée ?

CAMILLE. Vous regardez si mes mains sont mouillées, n'est-ce pas ? En vérité, j'ai gâté ma robe de couvent pour retirer ce petit hochet d'enfant de la fontaine. Voilà pourquoi j'en ai mis une autre, et, je vous dis, cela m'a changée ; mettez 70 donc cela à votre doigt.

PERDICAN. Tu as retiré cette bague de l'eau, Camille, au risque de te précipiter[1] ? Est-ce un songe ? La voilà ; c'est toi qui me la mets au doigt ! Ah ! Camille, pourquoi me le rends-tu, ce triste gage[2] d'un bonheur qui n'est plus ? Parle, 75 coquette et imprudente fille, pourquoi pars-tu ? pourquoi restes-tu ? Pourquoi, d'une heure à l'autre, changes-tu d'apparence et de couleur, comme la pierre de cette bague à chaque rayon de soleil ?

CAMILLE. Connaissez-vous le cœur des femmes, Perdican ? 80 Êtes-vous sûr de leur inconstance, et savez-vous si elles changent réellement de pensée en changeant quelquefois de langage ? Il y en a qui disent que non. Sans doute, il nous faut souvent jouer un rôle, souvent mentir ; vous voyez que je suis franche ; mais êtes-vous sûr que tout mente dans une femme, 85 lorsque sa langue ment ? Avez-vous bien réfléchi à la nature de cet être faible et violent, à la rigueur avec laquelle on le juge, aux principes qu'on lui impose ? Et qui sait si, forcée à tromper par le monde, la tête de ce petit être sans cervelle ne peut pas y prendre plaisir, et mentir quelquefois par passe-90 temps, par folie, comme elle ment par nécessité ?

---

1. *Te précipiter* : tomber la tête la première (sens étymologique du terme ; le verbe peut alors se construire absolument).
2. *Gage* : témoignage.

PERDICAN. Je n'entends rien à tout cela, et je ne mens jamais. Je t'aime, Camille, voilà tout ce que je sais.

CAMILLE. Vous dites que vous m'aimez, et vous ne mentez jamais ?

95 PERDICAN. Jamais.

CAMILLE. En voilà une qui dit pourtant que cela vous arrive quelquefois. *(Elle lève la tapisserie ; Rosette paraît dans le fond, évanouie sur une chaise.)* Que répondrez-vous à cette enfant, Perdican, lorsqu'elle vous demandera compte de vos paroles ?
100 Si vous ne mentez jamais, d'où vient donc qu'elle s'est évanouie en vous entendant me dire que vous m'aimez ? Je vous laisse avec elle ; tâchez de la faire revenir. *(Elle veut sortir.)*

PERDICAN. Un instant, Camille, écoutez-moi.

CAMILLE. Que voulez-vous me dire ? c'est à Rosette qu'il
105 faut parler. Je ne vous aime pas, moi ; je n'ai pas été chercher par dépit cette malheureuse enfant au fond de sa chaumière, pour en faire un appât[1], un jouet ; je n'ai pas répété imprudemment devant elle des paroles brûlantes adressées à une autre ; je n'ai pas feint de jeter au vent pour elle le
110 souvenir d'une amitié chérie ; je ne lui ai pas mis ma chaîne au cou ; je ne lui ai pas dit que je l'épouserais.

PERDICAN. Écoutez-moi, écoutez-moi !

CAMILLE. N'as-tu pas souri tout à l'heure quand je t'ai dit que je n'avais pu aller à la fontaine ? Eh bien ! oui, j'y étais,
115 et j'ai tout entendu ; mais, Dieu m'en est témoin, je ne voudrais pas y avoir parlé comme toi. Que feras-tu de cette fille-là, maintenant, quand elle viendra, avec tes baisers ardents sur les lèvres, te montrer en pleurant la blessure que tu lui

1. *Appât :* ce dont on se sert pour attirer une bête sauvage dans un piège.

as faite ? Tu as voulu te venger de moi, n'est-ce pas, et me
120 punir d'une lettre écrite à mon couvent ? Tu as voulu me lancer à tout prix quelque trait[1] qui pût m'atteindre, et tu comptais pour rien que ta flèche empoisonnée traversât cette enfant, pourvu qu'elle me frappât derrière elle. Je m'étais vantée de t'avoir inspiré quelque amour, de te laisser quelque
125 regret. Cela t'a blessé dans ton noble orgueil ? Eh bien ! apprends-le de moi, tu m'aimes, entends-tu ; mais tu épouseras cette fille, ou tu n'es qu'un lâche !

PERDICAN. Oui, je l'épouserai.

CAMILLE. Et tu feras bien.

130 PERDICAN. Très bien, et beaucoup mieux qu'en t'épousant toi-même. Qu'y a-t-il, Camille, qui t'échauffe si fort ? Cette enfant s'est évanouie ; nous la ferons bien revenir, il ne faut pour cela qu'un flacon de vinaigre[2] ; tu as voulu me prouver que j'avais menti une fois dans ma vie ; cela est possible,
135 mais je te trouve hardie de décider à quel instant. Viens, aide-moi à secourir Rosette. *(Ils sortent.)*

---

1. *Trait :* ici, attaque malveillante.
2. *Un flacon de vinaigre :* pour faire revenir les gens de leur évanouissement, on leur faisait respirer un mélange acide (vinaigre) ou alcalin (sels) qui faisait alors office de révulsif, c'est-à-dire qui réactivait la respiration et la circulation du sang.

Acte III Scène 6

Dans cette scène, à la fois complexe et rapide, se mêlent intimement amour et cruauté. La comédie n'est plus de mise, et ce qui pourrait être marivaudage élégant est, de la part de Camille, stratégie impitoyable de reconquête, qui fait bon marché des sentiments d'autrui.

CAMILLE OU LA SÉDUCTION FROIDE

1. La deuxième « scène de la fontaine » (III, 3) avait ravi Rosette et anéanti Camille dans l'esprit de Perdican. Vous montrerez comment Musset inverse la situation de dissimulation et de calcul. Une fois encore, la comparaison avec *les Liaisons dangereuses* pourrait être éclairante : Camille serait-elle une émule de Mme de Merteuil ?

2. La stratégie implacable de Camille se déroule en trois temps : préparation psychologique de sa sœur de lait devenue rivale malgré elle, reconquête de Perdican et démonstration de la lâcheté et de l'inconstance de celui-ci. Vous suivrez et analyserez les temps forts de ces trois étapes, en vous attachant à bien dégager les symboles mis en valeur (la chaîne, la robe, la bague) et l'importance des enjeux.

3. La tirade centrale de Camille (l. 79 à 90) est au cœur de la scène, plaidoyer pour les femmes dans l'esprit du XVIIIe siècle, mais aussi piège tendu à un jeune homme affolé de désir par le jeu de la séduction. Vous commenterez ces deux aspects dans le cadre éventuel d'un commentaire composé, en montrant comment Musset a réussi à mêler les deux dans des propos qui sont parfaitement « en situation ».

PERDICAN, OU LE TROMPEUR TROMPÉ

4. Vous repérerez et analyserez les signes qui traduisent la faiblesse de Perdican dès les premiers moments de la rencontre. Comment réagit-il devant le jeu de coquetterie mené avec tant d'aisance par Camille ?

5. Deux coups de théâtre successifs assomment littéralement Perdican : le retour d'amour apparent de Camille et la découverte de Rosette évanouie. Montrez sous quel aspect se révèle l'effet de ces chocs psychologiques chez le héros.

LA PREMIÈRE « MORT » DE ROSETTE

6. On sait depuis quelque temps que Perdican et Camille ont en eux assez de ressources spirituelles et intellectuelles pour réagir face à un échec ou à une difficulté psychologique. Ce n'est pas le cas de Rosette. Vous commenterez de ce point de vue la terrible cruauté de Camille face à sa sœur de lait (l. 14 à 34) puis devant le corps évanoui de celle-ci (l. 104 à 127).

7. Quels paraissent être les sentiments réels de Perdican face à Rosette évanouie (l. 130 à 136) ?

8. Rosette est-elle présente en tant que personne ou comme un simple pion d'échiquier dans la décision qui marque la victoire paradoxale de Camille et la défaite de Perdican (l. 125 et suivantes) ? Que peut-on penser de cet affrontement d'orgueilleux devant une demi-morte ?

SCÈNE 7. *Entrent* LE BARON *et* CAMILLE.

LE BARON. Si cela se fait, je deviendrai fou.

CAMILLE. Employez votre autorité.

LE BARON. Je deviendrai fou, et je refuserai mon consentement ; voilà qui est certain.

5 CAMILLE. Vous devriez lui parler et lui faire entendre raison.

LE BARON. Cela me jettera dans le désespoir pour tout le carnaval[1], et je ne paraîtrai pas une fois à la cour. C'est un mariage disproportionné. Jamais on n'a entendu parler d'épouser la sœur de lait de sa cousine ; cela passe toute espèce de 10 bornes.

CAMILLE. Faites-le appeler, et dites-lui nettement que ce mariage vous déplaît. Croyez-moi, c'est une folie, et il ne résistera pas.

LE BARON. Je serai vêtu de noir cet hiver, tenez-le pour 15 assuré.

CAMILLE. Mais parlez-lui, au nom du ciel ! C'est un coup de tête qu'il a fait ; peut-être n'est-il déjà plus temps ; s'il en a parlé, il le fera.

LE BARON. Je vais m'enfermer pour m'abandonner à ma 20 douleur. Dites-lui, s'il me demande, que je suis enfermé, et que je m'abandonne à ma douleur de le voir épouser une fille sans nom[2]. *(Il sort.)*

CAMILLE. Ne trouverai-je pas ici un homme de cœur[3] ? En vérité, quand on en cherche, on est effrayé de sa solitude. 25 *(Entre Perdican.)* Eh bien ! cousin, à quand le mariage ?

---

1. *Carnaval* : période traditionnelle de réjouissances dans tous les États, réels ou de fantaisie. On peut ici songer à celui de Venise.
2. *Une fille sans nom* : une fille qui n'appartient pas à la noblesse. Ce mariage sera, aux yeux du monde, une « mésalliance ».
3. *Un homme de cœur* : un homme courageux.

PERDICAN. Le plus tôt possible ; j'ai déjà parlé au notaire, au curé, et à tous les paysans.

CAMILLE. Vous comptez donc réellement que vous épouserez Rosette ?

30 PERDICAN. Assurément.

CAMILLE. Qu'en dira votre père ?

PERDICAN. Tout ce qu'il voudra ; il me plaît d'épouser cette fille ; c'est une idée que je vous dois, et je m'y tiens. Faut-il vous répéter les lieux communs les plus rebattus sur sa 35 naissance et sur la mienne ? Elle est jeune et jolie, et elle m'aime ; c'est plus qu'il n'en faut pour être trois fois heureux. Qu'elle ait de l'esprit ou qu'elle n'en ait pas, j'aurais pu trouver pire. On criera et on raillera ; je m'en lave les mains.

CAMILLE. Il n'y a rien là de risible ; vous faites très bien 40 de l'épouser. Mais je suis fâchée pour vous d'une chose : c'est qu'on dira que vous l'avez fait par dépit.

PERDICAN. Vous êtes fâchée de cela ? Oh ! que non.

CAMILLE. Si, j'en suis vraiment fâchée pour vous. Cela fait du tort à un jeune homme, de ne pouvoir résister à un 45 moment de dépit.

PERDICAN. Soyez-en donc fâchée ; quant à moi, cela m'est bien égal.

CAMILLE. Mais vous n'y pensez pas ; c'est une fille de rien.

PERDICAN. Elle sera donc de quelque chose, lorsqu'elle sera 50 ma femme.

CAMILLE. Elle vous ennuiera avant que le notaire ait mis son habit neuf et ses souliers pour venir ici ; le cœur vous lèvera[1] au repas de noces, et le soir de la fête vous lui ferez

1. *Le cœur vous lèvera* : vous serez écœuré, vous aurez la nausée.

couper les mains et les pieds, comme dans tous les contes
55 arabes[1], parce qu'elle sentira le ragoût.

PERDICAN. Vous verrez que non. Vous ne me connaissez pas ; quand une femme est douce et sensible, fraîche, bonne et belle, je suis capable de me contenter de cela, oui, en vérité, jusqu'à ne pas me soucier de savoir si elle parle latin.

60 CAMILLE. Il est à regretter qu'on ait dépensé tant d'argent pour vous l'apprendre ; c'est trois mille écus de perdus.

PERDICAN. Oui ; on aurait mieux fait de les donner aux pauvres.

CAMILLE. Ce sera vous qui vous en chargerez, du moins
65 pour les pauvres d'esprit[2].

PERDICAN. Et ils me donneront en échange le royaume des cieux, car il est à eux.

CAMILLE. Combien de temps durera cette plaisanterie ?

PERDICAN. Quelle plaisanterie ?

70 CAMILLE. Votre mariage avec Rosette.

PERDICAN. Bien peu de temps ; Dieu n'a pas fait de l'homme une œuvre de durée : trente ou quarante ans, tout au plus.

CAMILLE. Je suis curieuse de danser à vos noces !

75 PERDICAN. Écoutez-moi, Camille, voilà un ton de persiflage qui est hors de propos.

CAMILLE. Il me plaît trop pour que je le quitte.

---

1. *Couper ... arabes* : dans les contes des *Mille et Une Nuits*, les exemples sont nombreux de lendemains de noces cruels, après la déception plus ou moins justifiée des maris. Musset avait été passionné par ce genre de lectures dans sa jeunesse.
2. *Les pauvres d'esprit* : évocation méchante et erronée de la célèbre parole de l'Évangile sur « les pauvres en esprit ». L'allusion venimeuse vise évidemment Rosette.

PERDICAN. Je vous quitte donc vous-même ; car j'en ai tout à l'heure[1] assez.

80 CAMILLE. Allez-vous chez votre épousée ?

PERDICAN. Oui, j'y vais de ce pas.

CAMILLE. Donnez-moi donc le bras ; j'y vais aussi. *(Entre Rosette.)*

PERDICAN. Te voilà, mon enfant ! Viens, je veux te présenter à mon père.

85 ROSETTE, *se mettant à genoux.* Monseigneur, je viens vous demander une grâce. Tous les gens du village à qui j'ai parlé ce matin m'ont dit que vous aimiez votre cousine, et que vous ne m'avez fait la cour que pour vous divertir tous deux ; on se moque de moi quand je passe, et je ne pourrai 90 plus trouver de mari dans le pays, après avoir servi de risée à tout le monde. Permettez-moi de vous rendre le collier que vous m'avez donné, et de vivre en paix chez ma mère.

CAMILLE. Tu es une bonne fille, Rosette ; garde ce collier, c'est moi qui te le donne, et mon cousin prendra le mien à 95 la place. Quant à un mari, n'en sois pas embarrassée, je me charge de t'en trouver un.

PERDICAN. Cela n'est pas difficile, en effet. Allons, Rosette, viens, que je te mène à mon père.

CAMILLE. Pourquoi ? Cela est inutile.

100 PERDICAN. Oui, vous avez raison, mon père nous recevrait mal ; il faut laisser passer le premier moment de surprise qu'il a éprouvée. Viens avec moi, nous retournerons sur la place. Je trouve plaisant qu'on dise que je ne t'aime pas quand je t'épouse. Pardieu ! nous les ferons bien taire. *(Il sort avec Rosette.)*

---

1. *Tout à l'heure :* pour le moment, pour l'instant. Sens classique (XVIIe-XVIIIe siècles) de l'expression.

105 CAMILLE. Que se passe-t-il donc en moi ? Il l'emmène d'un air bien tranquille. Cela est singulier : il me semble que la tête me tourne. Est-ce qu'il l'épouserait tout de bon ? Holà ! dame Pluche, dame Pluche ! N'y a-t-il donc personne ici ? *(Entre un valet.)* Courez après le seigneur Perdican ; dites-lui vite
110 qu'il remonte ici, j'ai à lui parler. *(Le valet sort.)* Mais qu'est-ce donc que tout cela ? Je n'en puis plus, mes pieds refusent de me soutenir. *(Rentre Perdican.)*

PERDICAN. Vous m'avez demandé, Camille ?

CAMILLE. Non, – non.

115 PERDICAN. En vérité, vous voilà pâle ! qu'avez-vous à me dire ? Vous m'avez fait rappeler pour me parler ?

CAMILLE. Non, non ! – Ô Seigneur Dieu. *(Elle sort.)*

Acte III Scène 7

La dernière apparition du baron, puis la dernière confrontation entre les trois protagonistes vivants soufflent alternativement le chaud et le froid : instabilité, insécurité, renversements incessants de situation.

1. Cette scène, qui précède immédiatement le dénouement, est certainement l'une des plus belles de la pièce et du théâtre de Musset. Vous analyserez sa construction d'ensemble, l'efficacité dramatique et le pathétique sobre, la rapidité et la véracité du dialogue.

DERNIÈRE BOUFFONNERIE SUR FOND DE TRAGÉDIE

2. Le baron se révèle insensible à la démarche proprement inouïe (sur le plan mondain) tentée par Camille auprès de lui. Vous montrerez comment Musset l'a représenté fidèle à lui-même (mécanique impuissante qui tourne à vide) jusqu'au bout.

BAS LES MASQUES

3. La scène précédente s'était terminée pour Camille par une victoire paradoxale : Perdican, pris en flagrant délit de mensonge, n'avait eu comme ressource que de confirmer son projet de mariage avec Rosette. Maintenant, Camille est aux abois. Vous analyserez dans cette perspective les différents arguments qu'elle essaye de faire valoir pour détourner Perdican de ce projet.

4. Camille nous avait déjà révélé sa sécheresse de cœur à l'égard de Rosette. Elle va ici plus loin (l. 48 et suivantes) : montrez la dureté sociale et sentimentale que ces paroles traduisent.

5. La seule solution qu'a trouvée Perdican pour ne pas perdre la face devant une situation qu'il ne maîtrise plus est de s'entêter dans son projet. Vous commenterez le caractère velléitaire et puéril de ses propos.

6. Deux répliques de Perdican sont révélatrices de ses véritables sentiments à l'égard de Rosette. Lesquelles ?

ROSETTE, OU LA NUDITÉ PATHÉTIQUE DE LA TRAGÉDIE

7. L'arrivée de Rosette marque l'un des moments d'émotion les plus intenses de la tragédie qui est désormais inéluctable. Vous dégagerez les éléments qui font d'elle, par sa requête ultime (l. 85 à 92), une figure pathétique qui a tout donné et qui va tout perdre.

8. En vous souvenant que l'action se déroule dans une société encore marquée de féodalisme, vous commenterez le symbolisme du collier.

SCÈNE 8. *Un oratoire*[1].

Entre CAMILLE. *Elle se jette au pied de l'autel.* M'avez-vous abandonnée, ô mon Dieu ? Vous le savez, lorsque je suis venue, j'avais juré de vous être fidèle ; quand j'ai refusé de devenir l'épouse d'un autre que vous, j'ai cru parler sincèrement
5 devant vous et ma conscience ; vous le savez, mon Père ; ne voulez-vous donc plus de moi ? Oh ! pourquoi faites-vous mentir la vérité elle-même ? Pourquoi suis-je si faible ? Ah ! malheureuse, je ne puis plus prier ! *(Entre Perdican.)*

PERDICAN. Orgueil, le plus fatal des conseillers humains,
10 qu'es-tu venu faire entre cette fille et moi ? La voilà pâle et effrayée, qui presse sur les dalles insensibles son cœur et son visage. Elle aurait pu m'aimer, et nous étions nés l'un pour l'autre ; qu'es-tu venu faire sur nos lèvres, orgueil, lorsque nos mains allaient se joindre ?

15 CAMILLE. Qui m'a suivie ? Qui parle sous cette voûte ? Est-ce toi, Perdican ?

PERDICAN. Insensés que nous sommes ! nous nous aimons. Quel songe avons-nous fait Camille ? Quelles vaines paroles, quelles misérables folies ont passé comme un vent funeste
20 entre nous deux ? Lequel de nous a voulu tromper l'autre ? Hélas ! cette vie est elle-même un si pénible rêve ! pourquoi encore y mêler les nôtres ! Ô mon Dieu ! le bonheur est une perle si rare dans cet océan d'ici-bas ! Tu nous l'avais donné, pêcheur céleste, tu l'avais tiré pour nous des profondeurs de
25 l'abîme, cet inestimable joyau ; et nous, comme des enfants gâtés que nous sommes, nous en avons fait un jouet. Le vert sentier qui nous amenait l'un vers l'autre avec une pente si douce, il était entouré de buissons si fleuris, il se perdait dans

---

1. *Un oratoire* : ce pourrait être, entre autres, la chapelle privée du château.

un si tranquille horizon ! Il a bien fallu que la vanité, le
30 bavardage et la colère vinssent jeter leurs rochers informes
sur cette route céleste, qui nous aurait conduits à toi dans
un baiser ! Il a bien fallu que nous nous fissions du mal, car
nous sommes des hommes ! Ô insensés ! nous nous aimons.
(Il la prend dans ses bras.)

CAMILLE. Oui, nous nous aimons, Perdican ; laisse-moi le
35 sentir sur ton cœur. Ce Dieu qui nous regarde ne s'en
offensera pas ; il veut bien que je t'aime ; il y a quinze ans
qu'il le sait.

PERDICAN. Chère créature, tu es à moi. *(Il l'embrasse ; on
entend un grand cri derrière l'autel.)*

CAMILLE. C'est la voix de ma sœur de lait.

Camille (I. Huppert) et Perdican (D. Haudepin).
Mise en scène de C. Huppert aux Bouffes-du-Nord, 1977.

PERDICAN. Comment est-elle ici ? Je l'avais laissée dans l'escalier, lorsque tu m'as fait rappeler. Il faut donc qu'elle m'ait suivi sans que je m'en sois aperçu.

CAMILLE. Entrons dans cette galerie, c'est là qu'on a crié.

PERDICAN. Je ne sais ce que j'éprouve ; il me semble que mes mains sont couvertes de sang.

CAMILLE. La pauvre enfant nous a sans doute épiés ; elle s'est encore évanouie ; viens, portons-lui secours ; hélas ! tout cela est cruel.

PERDICAN. Non en vérité, je n'entrerai pas ; je sens un froid mortel qui me paralyse. Vas-y Camille, et tâche de la ramener. *(Camille sort.)* Je vous en supplie, mon Dieu ! ne faites pas de moi un meurtrier ! Vous voyez ce qui se passe ; nous sommes deux enfants insensés, et nous avons joué avec la vie et la mort ; mais notre cœur est pur ; ne tuez pas Rosette, Dieu juste ! Je lui trouverai un mari, je réparerai ma faute ; elle est jeune, elle sera riche, elle sera heureuse ; ne faites pas cela, ô Dieu ! vous pouvez bénir encore quatre[1] de vos enfants. Eh bien ! Camille, qu'y a-t-il ? *(Camille rentre.)*

CAMILLE. Elle est morte ! Adieu, Perdican !

1. *Quatre* : les trois protagonistes de la pièce, plus le mari potentiel de Rosette.

Acte III Scène 8

Le dénouement des tensions est d'une brutale rapidité. Il ne résout rien, bien au contraire. Un cadavre sépare à jamais Camille de Perdican, celui de l'innocence assassinée : « On ne badine pas avec l'amour ».

LE MOUVEMENT DRAMATIQUE

1. Vous relèverez les signes du vertige qui s'empare des protagonistes et les différents discours et mouvements qui le traduisent.

2. Comme dans une tragédie classique, on ne verra pas la mort en scène, alors que Musset avait montré l'évanouissement de Rosette (III, 6). Vous commenterez la sobriété tragique de la mise en scène imaginée par Musset.

LE DISCOURS DE PERDICAN : GRANDILOQUENCE ET VÉRITÉ

3. Vous ferez de la longue tirade de Perdican (l. 17 à 33) un commentaire composé ; vous pourrez vous attacher à montrer son allure de bilan, de retour en arrière, qui ne va pas sans un certain ton sentencieux où se mêlent la vérité du sentiment que l'on découvre, la référence grandiloquente à Dieu (passablement paradoxale chez le jeune homme) et la méditation sur la faiblesse humaine.

4. À un tel moment de tension spirituelle et dramatique, un discours aussi composé est-il, selon vous, vraisemblable ? Vous justifierez votre réponse par un recours précis au texte, en opposant par exemple la maîtrise parfaite des moyens dramatiques de la scène précédente.

LE ROMANTISME

5. Vous relèverez les divers aspects qui font du dénouement de ce proverbe un véritable drame romantique (sentiments exprimés, mouvements des passions, présence conjointe de la mort et de la religion, etc.).

Ensemble de l'acte III

1. Étudiez la technique de la construction dramatique et le passage irrésistible de la comédie du départ à la tragédie de la fin.

2. Analysez à l'aide d'exemples précis le lyrisme de Musset et son art des images poétiques dans la description et l'évocation des sentiments.

3. Interrogez-vous sur l'évolution réelle des protagonistes essentiels, Camille et Perdican (Rosette n'évolue guère, fixée une fois pour toutes dans l'innocence promise au sacrifice de la victime expiatoire). Vous pourrez par exemple vous poser le problème de l'égoïsme fondamental de toute relation amoureuse et voir comment Musset en détaille avec une cruauté lucide les différentes composantes.

Documentation thématique

Index des principaux thèmes de l'œuvre, p. 116

Jeunes filles au couvent, p. 118

Index des principaux thèmes de l'œuvre

Amour : II, 1 (l. 41-42, 50) ; II, 5 (la scène dans son intégralité) ; III, 1 (l. 12 à 17) ; III, 2 (l. 119 à 122, 138-139) ; III, 3 (l. 25 à 29, 44 à 58) ; III, 6 (l. 30, 105) ; III, 7 (l. 35-36, 86 à 91, 103-104) ; III, 8 (l. 17 à 20, 33 à 37).

Argent : I, 2 (l. 43-44, 76) ; III, 7 (l. 60-61).

Baisers : I, 2 (l. 119 à 125) ; I, 3 (l. 53-54) ; I, 4 (l. 54-55) ; II, 3 (l. 3 à 14, 26 à 30) ; II, 5 (l. 12, 287 à 289) ; III, 8 (l. 29 à 38).

Brigues, calomnies, intrigues : I, 1 (l. 38 à 40) ; I, 2 (l. 13) ; I, 3 (l. 11 à 34) ; I, 5 (l. 1-2) ; II, 2 (la scène dans son intégralité) ; III, 2 (l. 29-30, 136 à 139).

Couvent : I, 1 (l. 55 à 63) ; I, 2 (l. 29-30) ; II, 1 (l. 26) ; II, 5 (l. 30 à 33, 79 à 81, 101 à 103, 254 à 311) ; III, 1 (l. 14 à 16) ; III, 2 (l. 82) ; III, 3 (l. 55 à 59) ; III, 4 (l. 3).

Enfance : I, 1 (l. 35-36) ; I, 3 (l. 59 à 76) ; I, 4 (la scène dans son intégralité) ; II, 5 (l. 285 à 288).

Études : I, 1 (l. 15 à 21) ; I, 2 (l. 4 à 8, 82 à 89, 159 à 164).

Femmes : I, 2 (l. 92 à 101) ; II, 5 (l. 144 à 156, 213-214, 254 à 311) ; III, 6 (l. 79 à 90).

Féodalité : I, 2 (l. 51 à 56) ; I, 4 (l. 2 à 12, 52 à 61) ; I, 5 (l. 42 à 45).

Fidélité : II, 5 (la scène dans son intégralité).

Ivrognerie : I, 1 (l. 5 à 12, 31-32, 37-38) ; I, 5 (l. 1 à 15, 47 à 50) ; II, 2 (l. 16) ; II, 4 (l. 4 à 7) ; III, 1 (l. 1 à 6) ; III, 2 (l. 18 à 21, 55-56).

Lettre(s) : II, 4 (l. 47 à 51, 62-63) ; II, 5 (l. 1-2) ; III, 2 (l. 29-30, 56 à 124) ; III, 3 (l. 1 à 3) ; III, 6 (l. 1 à 3).

Libertinage : II, 5 (la scène dans son intégralité).

Mariage : I, 2 (l. 42 à 66) ; I, 3 (l. 42 à 44) ; I, 4 (l. 57 à 60) ; II, 1 (l. 3 à 22, 67 à 70) ; II, 5 (l. 120 à 128) ; III, 5 (l. 6) ; III, 6 (l. 19 à 30, 111, 126 à 131) ; III, 7 (la scène dans son intégralité).

Mensonge : III, 6 (la scène dans son intégralité).

Mépris du peuple : I, 1 (l. 48 à 70) ; I, 5 (l. 28 à 35) ; II, 4 (l. 46-47) ; III, 2 (l. 76-77) ; III, 7 (l. 7 à 10, 33 à 35, 48, 51 à 55, 64-65).

Meurtre, mort : III, 8 (la scène dans son intégralité).

Nature : I, 4 (l. 36 à 38) ; III, 3 (l. 44 à 52, 66 à 71) ; III, 8 (l. 26 à 32).

Orgueil : II, 1 (l. 22 à 24) ; II, 5 (l. 2 à 4, 203) ; III, 2 (l. 15-16) ; III, 6 (l. 125) ; III, 8 (l. 9 à 33).

Pruderie : I, 3 (l. 86 à 96) ; II, 1 (l. 29) ; II, 4 (l. 48-49).

Réjouissances et ripailles : I, 1 (l. 71 à 73) ; I, 3 (l. 3-4) ; II, 2 (toute la scène) ; III, 2 (l. 1 à 5).

Religion : I, 1 (l. 4-5) ; I, 2 (l. 34 à 37, 145 à 150) ; II, 1 (l. 70-71) ; II, 5 (l. 169 à 171) ; III, 2 (l. 64-65) ; III, 3 (l. 48 à 50) ; III, 4 (l. 24) ; III, 8 (l. 1 à 8). Voir aussi « couvent ».

Rendez-vous : I, 2 (l. 70 à 76) ; II, 5 (l. 1 à 4) ; III, 3 (l. 13 à 15) ; III, 6 (l. 36 à 39).

Séduction : I, 2 (l. 108 à 118) ; I, 5 (l. 49-50) ; II, 1 (l. 15-16) ; II, 5 (l. 5, 12) ; III, 5 (l. 1 à 6) ; III, 6 (l. 36, 55 à 78).

Souffrance : II, 5 (l. 188 à 190) ; III, 6 (l. 120 à 123) ; III, 8 (toute la scène).

Surprise, contrariété : I, 2 (l. 128-129, 132 à 137) ; I, 3 (l. 37 à 46) ; III, 7 (l. 1 à 22).

Jeunes filles au couvent

On ne badine pas avec l'amour est au premier chef le récit dramatique d'une crise amoureuse qui se traduit par une double tragédie : l'innocence meurt assassinée en la personne de Rosette ; quant à ceux qui ont joué avec l'amour et ses dangers, ils en sont punis par une séparation éternelle. Perdican et Camille se seront jamais l'un à l'autre.

À côté de cette tragédie amoureuse, où passent peut-être inconsciemment pour Musset les souvenirs brûlants de sa liaison avec George Sand et les souffrances endurées pendant le séjour à Venise (voir. p. 9), le proverbe revient à plusieurs reprises sur la critique de l'éducation que recevaient alors les jeunes filles de la bonne société dans les institutions religieuses (critique où transparaissent partiellement les souvenirs que George Sand avait confiés à Musset, voir p. 139).

La dépravation sous le manteau de la religion

L'une des premières images qui apparaissent littérairement dès le XIVe siècle est celle de la corruption qui règne dans les couvents de femmes. Elle fournit le thème de maint conte plus ou moins licencieux ; au-delà de cet aspect, le problème de l'éducation qu'est censé donner le couvent reste posé.

Dans ce conte de l'écrivain italien Boccace (1313-1375), une jeune religieuse, Isabette, a fait venir son amant dans sa cellule ; on court réveiller la supérieure du couvent...

« Vite, Madame, vite. Levez-vous. On a trouvé Isabette avec un garçon dans sa cellule ! »

Cette nuit, Usimbalda était précisément en compagnie d'un prêtre qu'elle introduisait souvent chez elle dans un coffre.

Au tapage, elle redoute que, dans un excès de hâte et d'impatience, on n'ébranle le battant au point de l'enfoncer. Elle bondit de son lit et s'habille de son mieux dans l'obscurité. Mais croyant saisir ce voile que les religieuses portent au front et qu'on appelle « psautier », elle empoigne les culottes du prêtre. Sa précipitation fut telle qu'elle les jeta sur sa tête ; elle sort en claquant la porte et s'écrie : « Où est cette maudite de Dieu ? » Elle suivit la troupe. Ces femmes brûlaient tellement du désir de lui faire prendre Isabette en faute qu'elles ne remarquèrent pas sa coiffure. L'abbesse arrive devant la cellule, et, avec l'aide des sœurs, force l'entrée. Elle s'avance, et trouve dans le lit les deux amants aux bras l'un de l'autre. Étourdis par cet assaut, et ne sachant quelle contenance adopter, ils ne bougeaient pas. Isabette fut immédiatement saisie par les religieuses, et, sur l'ordre de l'abbesse, conduite au chapitre. Demeuré seul, le garçon enfile ses habits ; il attend le tour que prendront les événements, et décide, si l'on malmène Isabette, de se venger sur toutes celles qui lui tomberaient sous la main, puis d'enlever sa maîtresse.

L'abbesse prit place au chapitre, en présence de toutes les nonnes, qui n'avaient d'yeux que pour la coupable. Elle commença par proférer à l'adresse d'Isabette les pires injures qu'on pût corner aux oreilles d'une femme, en l'accusant de discréditer la sainteté, l'honneur et le bon renom du monastère, si le bruit de ses désordres scandaleux se répandait au-dehors. Des menaces suivirent les injures. Honteuse, apeurée, la jeune femme semblait pénétrée de sa faute, et son silence lui conciliait un peu de sympathie. La supérieure continuait de plus belle, quand Isabette, levant les yeux, vit la coiffure de l'abbesse et les cordons qui pendaient de-ci de-là. Elle connut ce qui en était, et reprit courage.

« Madame, dit-elle, que Dieu vous sauve ! Nouez un peu votre coiffe, et puis dites-moi ce que vous voudrez. »

La supérieure n'y était pas.

« Comment ça, ma coiffe, misérable ! Tu as le front de badiner à cette heure ! Crois-tu que ton crime prête à la plaisanterie ?

– Madame, reprend encore une fois Isabette, je vous prie de nouer votre coiffe. Puis dites-moi ce que vous voudrez. »

Plusieurs nonnes jetèrent alors leurs regards sur la tête de l'abbesse, qui, de son côté, porta la main à ses cheveux. Toutes les sœurs comprirent ce qui avait fait parler Isabette. La supérieure eut elle-même conscience de sa propre faute, que l'assistance avait percée à jour, et qu'il n'était plus possible de cacher. Elle changea de ton, et son propos fut tout différent de ce qu'il était au début. Elle en vint à conclure qu'on ne saurait se prémunir contre les aiguillons de la chair, et que, somme toute, en continuant, comme par le passé, chacune, quand elle pourrait, n'avait qu'à se donner discrètement du plaisir.

Boccace, *le Décaméron*, 1350-1353, IX, 2,
traduction de F. Regnard, 1884.

Le mysticisme religieux, masque de l'érotisme ?

Pour qui connaît *l'Extase de sainte Thérèse* (1651) du sculpteur italien le Bernin (1598-1680), la confusion trouble entre les élans de la religion et ceux de la sensualité ne saurait étonner ; le langage religieux longtemps en usage y invite : Camille ne dit-elle pas « Voici mon amant », en montrant le crucifix d'un geste théâtral ?

À titre d'exemple, voici l'un des poèmes mystiques de l'Allemand Johannes Schefler, dit Angelus Silesius (1624-1677), décrivant l'extase de l'âme qui accède à l'union avec Dieu.

Où est mon bien-aimé si beau,
De mon âme le fiancé ?
Où est mon berger, mon agneau,
Pour qui mon cœur est attristé ?
Dites-le-moi, prairies, herbages,
Vais-je parmi vous le trouver,
Pour que je puisse à son ombrage
Me rafraîchir et raviver ?

Dites-le moi, lis et narcisses,
Où est le lilial enfant ?

Roses, dites-moi sur le champ,
Me réservez-vous ses délices ?
Vous, jacinthes et violettes,
Et vous, fleurs aux multiples sortes,
Dois-je chez vous me mettre en quête
Pour que vite il me réconforte ?

Où est mon onde fraîche, ô puits ?
Ruisseaux, ma vague ruisselante ?
Mon principe que je poursuis,
Ma source toujours obsédante ?
Où est mon gai bocage, ô bois ?
Où se trouve, ô plaines, ma plaine ?
Champs, où est mon champ qui verdoie ?
Ah ! que vos voix vers lui me mènent !

Dieu ! pourquoi questionner en vain ?
Il n'est pas chez les créatures !
Qui me fera dépasser la nature,
À mes plaintes qui mettra fin ?
Si par-dessus tout je m'élance
Pour plus haut que moi m'élever :
Je pourrai, j'en ai l'espérance,
Ô Jésus, enfin te retrouver.

Oiseaux, où est ma tourterelle ?
Où est mon pélican fidèle,
Capable de me vivifier ?
Ah ! que ne puis-je le trouver !

Où est mon sommet, ô collines ?
Ô vallons, où est ma vallée ?
Voyez, en tous sens je chemine
Et l'ai de toutes parts cherché !

Où est mon soleil et mon Nord,
Ma lune et tout mon firmament,
Ma fin et mon commencement,
Mon allégresse et mon transport ?
Où est ma mort, où est ma vie,
Et mon ciel et mon paradis ?
Le cœur qui m'a si bien ravie
Que je ne connais plus que lui ?

Angelus Silesius, *Saintes Délices de l'âme,* 1657,
traduction de J. Rousset, G.L.M., 1949, D.R.

La critique éclairée du couvent

Au XVIIIe siècle, la critique de l'éducation des filles devient l'un des thèmes choisis par la philosophie des Lumières dans sa lutte contre l'obscurantisme. Un pastiche féministe des *Lettres persanes,* les *Lettres péruviennes* de Mme de Graffigny (1695-1758), raconte la venue en France d'une jeune Péruvienne enlevée à son pays (et à un amour incestueux) pour lui faire découvrir l'éducation dite « civilisée ». La jeune femme confie ici ses observations à son frère Aza.

Je ne sais quelles sont les suites de l'éducation qu'un père donne à son fils : je ne m'en suis pas informée. Mais je sais que du moment que les filles commencent à être capables de recevoir des instructions, on les enferme dans une maison religieuse, pour leur apprendre à vivre dans le monde ; que l'on confie le soin d'éclairer leur esprit à des personnes auxquelles on ferait peut-être un crime d'en avoir, et qui sont incapables de leur former le cœur qu'elles ne connaissent pas.

Les principes de la religion, si propres à servir de germe à toutes les vertus, ne sont appris que superficiellement et par mémoire. Les devoirs à l'égard de la divinité ne sont pas inspirés avec plus de méthode. Ils consistent dans de petites cérémonies d'un culte extérieur, exigées avec tant de sévérité, pratiquées avec tant d'ennui, que c'est le premier joug dont on se défait en entrant dans le monde, et si l'on en conserve encore quelques usages, à la manière dont on s'en acquitte, on croirait volontiers que ce n'est qu'une espèce de politesse que l'on rend par habitude à la divinité.

D'ailleurs rien ne remplace les premiers fondements d'une éducation mal dirigée. On ne connaît presque point en France le respect pour soi-même, dont on prend tant de soin de remplir le cœur de nos jeunes vierges. Ce sentiment généreux qui nous rend le juge le plus sévère de nos actions et de nos pensées, qui devient un principe sûr quand il est bien senti, n'est ici d'aucune ressource pour les femmes. Au peu de soin que l'on prend de leur âme, on serait tenté de croire que les Français sont dans l'erreur de certains peuples barbares qui leur en refusent une.

Régler les mouvements du corps, arranger ceux du visage, composer l'extérieur, sont les points essentiels de l'éducation. C'est sur les attitudes plus ou moins gênantes de leurs filles que les parents se glorifient de les avoir bien élevées.

Mme de Graffigny, *Lettres péruviennes*, XXXIV, 1747.

Un autre aspect – plus sinistre – du couvent, avant la Révolution française, est son utilité pour les familles qui veulent se débarrasser d'une fille pour une raison ou pour une autre. C'est la mésaventure tragique que raconte *la Religieuse* de Diderot (1713-1784). Il est question dans l'extrait suivant des méthodes « pédagogiques » utilisées pour amener les recrues involontaires à la soumission.

Je ne vous ferai pas le détail de mon noviciat ; si l'on observait toute son austérité, on n'y résisterait pas ; mais c'est le temps le plus doux de la vie monastique. Une mère des novices est la sœur la plus indulgente qu'on a pu trouver. Son étude est de vous dérober toutes les épines de l'état ; c'est un cours de séduction la plus subtile et la mieux apprêtée. C'est elle qui épaissit les ténèbres qui vous environnent, qui vous berce, qui vous endort, qui vous en impose, qui vous fascine ; la nôtre s'attacha à moi particulièrement. Je ne pense pas qu'il y ait aucune âme, jeune et sans expérience, à l'épreuve de cet art funeste. Le monde a ses précipices ; mais je n'imagine pas qu'on y arrive par une pente aussi facile. Si j'avais éternué deux fois de suite, j'étais dispensée de l'office, du travail, de la prière ; je me couchais de meilleure heure, je me levais plus tard ; la règle cessait pour moi. Imaginez, monsieur, qu'il y avait des jours où je soupirais après l'instant de me sacrifier. Il ne se passe pas une histoire fâcheuse dans le monde qu'on ne vous en parle ; on arrange les vraies, on en fait de fausses, et puis ce sont des louanges sans fin et des actions de grâces à Dieu qui nous met à couvert de ces humiliantes aventures. Cependant il approchait, ce temps que j'avais quelquefois hâté par mes désirs. Alors je devins rêveuse, je sentis mes répugnances se réveiller et s'accroître. Je les allais confier à la supérieure, ou à notre mère des novices. Ces femmes se vengent bien de l'ennui que vous leur portez : car il ne faut pas croire qu'elles s'amusent du rôle hypocrite qu'elles jouent, et des sottises qu'elles sont forcées de vous répéter ; cela devient à la fin si usé et si maussade pour elles ; mais elles s'y déterminent, et cela pour un millier d'écus qu'il en revient à leur maison. Voici l'objet important pour lequel elles mentent toute leur vie, et préparent à de jeunes innocentes un désespoir de quarante, de cinquante années, et peut-être un malheur éternel ; car il est sûr, monsieur, que, sur cent religieuses qui meurent avant cinquante ans, il y en a cent tout juste de damnées, sans compter celles qui deviennent folles, stupides ou furieuses en attendant.

Diderot, *la Religieuse,* vers 1760.

Un refuge contre les orages de la passion ?

Chateaubriand (1768-1848) a imaginé Amélie, la sœur de René, réfugiée au couvent de B... pour échapper à la passion incestueuse qui la poussait vers son frère. Dans l'une de ses dernières lettres à ce frère trop aimé, Amélie décrit en ces termes l'effet d'apaisement produit par le séjour conventuel.

« Je ne désespère pas de mon bonheur, me disait-elle. L'excès même du sacrifice, à présent que le sacrifice est consommé, sert à me rendre quelque paix. La simplicité de mes compagnes, la pureté de leurs vœux, la régularité de leur vie, tout répand du baume sur mes jours. Quand j'entends gronder les orages, et que l'oiseau de mer vient battre des ailes à ma fenêtre, moi, pauvre colombe du ciel, je songe au bonheur que j'ai eu de trouver un abri contre la tempête. C'est ici la sainte montagne, le sommet élevé d'où l'on entend les derniers bruits de la terre et les premiers concerts du ciel ; c'est ici que la religion trompe doucement une âme sensible : aux plus violentes amours elle substitue une sorte de chasteté brûlante où l'amante et la vierge sont unies ; elle épure les soupirs ; elle change en une flamme incorruptible une flamme périssable ; elle mêle divinement son calme et son innocence à ce reste de trouble et de volupté d'un cœur qui cherche à se reposer, et d'une vie qui se retire. »

Chateaubriand, *René,* 1805.

Annexes

Une pièce
pour la lecture ? p. 126

Les personnages :
de l'esquisse au portrait, p. 130

Un théâtre de la cruauté, p. 135

Musset dans son œuvre ? p. 139

Musset, la pièce
et la critique, p. 145

Avant ou après la lecture, p. 150

Bibliographie, p. 153

Une pièce pour la lecture ?

On sait qu'après l'échec vexant de *la Nuit vénitienne,* en 1830, Musset avait décidé de ne plus faire jouer ses pièces. Le système de la livraison périodique du *Spectacle dans un fauteuil* lui permettait de continuer sa production dans ce domaine, sans avoir à courir le risque d'une nouvelle humiliation. N'oublions pas qu'il était en quelque sorte astreint, pour des raisons financières, à produire un travail littéraire régulier depuis la mort de son père. *On ne badine pas avec l'amour* est donc avant tout, semble-t-il, une pièce pour la lecture, au détriment de toute idée de mise en scène.

L'époque et le temps

Ni l'un ni l'autre ne sont précisés par l'auteur. Les indices repérables sont rares. L'époque est monarchique : le baron a été « nommé receveur » par le roi (I, 2) ; il parle avec une emphase comique de ses « vassaux » (I, 2) et de ses « vassales » (I, 5), et son mépris pour la « fille sans nom » que représente Rosette (III, 7) n'a d'égal que celui de Camille, fille de la noblesse provinciale, pour sa sœur de lait, qu'elle baptise « fille de rien » *(ibid.).*

Les indications temporelles se sont pas plus nombreuses. D'après la quantité de dîners suggérés, de réveils évoqués, d'« aujourd'hui » et d'« hier » mentionnés ici et là, on peut calculer qu'il s'écoule environ trois jours avant l'arrivée de Perdican et de Camille, et la mort de Rosette (soit un jour par acte). On dira que c'est bien long pour si peu de paroles et que Racine fait tenir cinq actes de tragédie entre le lever et le coucher du soleil d'une seule journée. Mais le temps de Musset n'a pas besoin de plus de réalité dans un sens que le temps racinien dans l'autre. C'est un « temps » psychologique, souple, avec ses battements mécaniques parfois (I, 2), mais aussi ses alanguissements (II, 5), ses rêves suspendus (III, 3), ses accélérations brutales (III, 7), au rythme des pulsions passionnelles des protagonistes. Seul le baron marche avec une montre intérieure qui lui donne le temps écoulé (et les deniers dépensés) depuis la naissance de son fils et de sa nièce ; mais l'on sait que cette belle machine déraille par ailleurs complètement et ne bat plus qu'au rythme détraqué de sa propre vacuité.

Les lieux et les décors

Musset se soucie donc peu de mise en scène, et il suffirait de comparer la brièveté des indications qui accompagnent chaque début de scène avec la longueur des didascalies d'*Hernani,* par exemple, pour mieux s'en rendre compte.

Les dix-huit scènes suggèrent successivement les lieux suivants : « une place devant le château », « le salon du baron », « devant le château », « une place », « une salle », « un jardin », « la salle à manger », « un champ devant une petite maison », « au château », « une fontaine dans un bois », « devant le château », « un chemin », « le petit bois », « la chambre de Camille », « un oratoire ». Il s'agit bien de suggestions, car les indications de l'auteur sont plus que sommaires, et l'article défini, lorsqu'il est employé, n'aide guère plus le metteur en scène potentiel que l'indéfini, plus fréquent. Cette diversité – qui évoque la liberté de Molière dans *Dom Juan* – pourrait à la rigueur se réduire à trois ou quatre lieux distincts : une place bordée de prés, de jardins et de maisons devant l'entrée du château ; une pièce du bâtiment ; le bois près de la fontaine et l'oratoire de la scène finale. Mais on s'aperçoit en fait que, sauf pour la fontaine (matériellement indispensable à la scène de l'anneau jeté) et l'oratoire (nécessaire à la gravité de la scène finale), les autres lieux sont parfaitement abstraits – et n'ont donc littéralement aucune importance. Seuls comptent les échanges et les déchirements qui s'y déroulent.

L'action

Dans ces lieux aussi abstraits que les antichambres de Marivaux ou de Racine, des personnages se croisent et s'accrochent au gré de la pure fantaisie de l'auteur. Il n'y a en effet aucune logique dans la succession de leurs apparitions : lorsque Musset a besoin d'eux, il les convoque sur la scène, puis les replonge dans les coulisses lorsqu'ils se sont fait suffisamment de mal réel ou de bien apparent pour tendre un peu plus la situation. Seule régularité repérable, l'action de chaque acte est lancée par une scène entre deux représentants des grotesques. Peut-être le temps véritable bat-il pour ceux-là, au gré de leurs calculs réussis (c'est rare) ou déjoués (c'est plus souvent le cas), de leurs tics d'attitude ou de langage, qui ramènent régulièrement le vin multiple et hallucinatoire de Blazius ou de Bridaine, le cabinet-refuge du baron, la religion tutélaire de Pluche.

Mais il suffit que Perdican ou Camille apparaissent, en proie aux intermittences pulsionnelles du cœur et de l'esprit, pour que l'univers réglé des chronomètres se désarticule. L'action d'*On ne badine pas avec l'amour* n'est pas rectiligne et univoque. Elle est pleine, au contraire, d'équivoques et de retours en arrière, avec des reprises en sous-main, des cheminements parallèles et des courts-circuits, au gré des mouvements intérieurs, des intrigues croisées, des lettres interceptées, des véritables secrets et des faux-semblants. Peut-être y voit-on passer le souvenir troublé des drames personnels vécus par l'auteur.

Drame romantique ou « proverbe » ?

On s'aperçoit ainsi que la mise en scène réelle est presque impossible selon les critères du théâtre classique, puisque les trois unités — les sacro-saintes unités — ne sont absolument pas respectées. En cela, le système théâtral de Musset dans *On ne badine pas avec l'amour* relève bien de l'époque romantique. Quel que soit son éloignement des « grandes machines » hugoliennes — dont Musset se moque un peu en lui-même, puisque *Lorenzaccio* est alors en gestation et qu'il surclassera de loin toute la création théâtrale de l'auteur d'*Hernani* —, Musset disloque tout autant que Hugo le déroulement du théâtre traditionnel pour rester au plus près de la vérité psychologique de ses personnages.

Pourtant, dans le cadre éclaté propre à la dramaturgie romantique, Musset reste très proche de la sobriété classique et sèche de l'analyse psychologique du XVIIIe siècle. C'est sur ce point qu'il se sépare de son époque, plus encline aux épanchements spectaculaires. Chez Musset, la souffrance amoureuse n'a pas besoin de paroxysmes expressifs pour que l'on comprenne son intensité. C'est là le classicisme du romantique Musset.

Les personnages : de l'esquisse au portrait

L'action d'*On ne badine pas avec l'amour* se répartit inégalement entre deux groupes de personnages qui n'ont finalement que peu de points de rencontre : les quatre « grotesques » — Blazius, Bridaine, dame Pluche et le baron — et les trois « tragiques » : Perdican, Camille et Rosette. À l'écart des deux groupes, un personnage symbolique — baptisé narquoisement « le chœur » par Musset — vient de temps en temps commenter l'action et faire part de ses impressions ou de ses pressentiments. Les grotesques et le chœur paraissent assez rapidement esquissés, alors que le groupe des tragiques est naturellement plus fouillé par l'auteur.

Des « séries » séparées

Les points de rencontre entre les deux premiers groupes de personnages sont peu nombreux. Les grotesques et les tragiques se retrouvent ensemble sur scène en quelques occasions seulement : scène 2 de l'acte I (le baron, Blazius, Bridaine et dame Pluche d'un côté, Perdican et Camille de l'autre) ; scène 1 de l'acte II (Blazius et Perdican, au début de la scène) ; scène 2 de l'acte III (Blazius et dame Pluche d'un côté, Perdican de l'autre) ; scène 4 de l'acte III (dame Pluche et Camille) ; enfin, scène 7 de l'acte III (le baron et Camille) — soit cinq scènes seulement sur les dix-huit que comporte la pièce. Si relâchée que puisse paraître la composition d'ensemble de l'œuvre, Musset a eu soin de répartir ces points de rencontre en une présentation d'ensemble (I, 2), suivie de deux scènes réservées à Perdican (II, 1, et III, 2) et deux scènes réservées à Camille (III, 4, et III, 7). Le tour est ainsi fait, par transitions successives, et chacun des deux héros tragiques est finalement renvoyé à sa solitude morale – comme Camille le souligne elle-même en aparté (III, 7).

Rosette, troisième personnage tragique, ne rencontre aucun des membres du groupe des grotesques. Est-ce là une intention spécifique de Musset ? On pourrait penser que la petite paysanne, victime promise au sacrifice, ressortit uniquement au versant tragique de l'œuvre, alors que Perdican et Camille ont chacun, dans leurs réactions passionnelles, des aspects mécaniques et ridicules qui les rapprochent passagèrement des grotesques (III, 6 pour Perdican ou III, 7 pour Camille, par exemple). Tout se passe comme si l'auteur avait voulu lui épargner la salissure de croiser le chemin de l'une de ces marionnettes.

Les marionnettes et pantins mécaniques

Les quatre grotesques n'offrent que peu d'ouvertures sympathiques, chacun d'eux étant enfermé dans un système monomaniaque qui le fait réagir de manière automatique à certains stimulus extérieurs, sans tenir compte de la réalité ambiante. C'est ainsi que la religion pour Pluche (I, 3), la bonne chère pour Bridaine (II, 2), le vin pour Blazius (II, 4) et la paranoïa taxinomique pour le baron interposent entre eux et la réalité un voile déformant qui fait qu'ils ne peuvent plus appréhender le réel dans son immédiateté indépendante. D'où les déconvenues progressivement paralysantes symbolisées, entre autres, par le baron, qui ne songe qu'à se retirer dans son cabinet pour fuir le réel dès qu'une difficulté imprévue vient traverser ses plans, ou encore par dame Pluche, qui est toute surprise de constater que le réel ne correspond pas à la grille de lecture bigote qu'elle lui applique systématiquement.

Quel est donc le rôle exact des grotesques dans la pièce ? Certains critiques ont vu en eux le contrepoint nécessaire pour soulager la tension morale du lecteur face à la tragédie sentimentale dans laquelle s'enfoncent progressivement Camille et Perdican puis Rosette. D'autres ont considéré l'aspect global du réel, et le « mélange du sublime et du grotesque », que Victor Hugo, en se réclamant de Shakespeare, avait revendiqué pour le théâtre romantique, par opposition aux bienséances du classicisme (Préface de *Cromwell,* 1827). Il est probable que les deux séries d'explication interfèrent pour justifier la présence, les paroles et les actions des quatre pantins de la pièce. Mais on hasarderait volontiers que cette présence du grotesque à côté du tragique, loin de l'atténuer et d'en distraire, ne fait que le rendre plus imminent et plus fatidique par un contraste amer proche de la dérision de soi-même. Ainsi la lutte de Perdican avec Blazius pour avoir la lettre de Camille que ce dernier vient de dérober à dame Pluche (III, 2) ; ainsi l'irritation de Camille devant la pusillanimité grandiloquente du baron, auprès de qui elle vient de faire une démarche inouïe pour une jeune fille de la bonne société (III, 7). Il y a peut-être là l'équivalent littéraire des ricanements sardoniques que l'on trouve dans les *scherzi* grinçants des symphonies de Mahler, juxtaposés à des pages de pure tension spirituelle ou sentimentale (*Neuvième Symphonie* en ré mineur, par exemple).

Les tragiques

En face des grotesques, tous passablement âgés, les jeunes protagonistes de la pièce ont le redoutable privilège d'incarner le pathétique et l'absurde, puis le tragique de la destinée humaine dans le domaine des relations amoureuses.

Perdican est, nous le savons, un enfant gâté par la beauté, l'argent et une certaine forme d'intelligence. Mais, malgré ses vingt et un ans et les quelques maîtresses faciles qu'il a déjà eues, c'est encore un novice en matière de sentiment profond. Il découvre peu à peu, après bien des faux pas et des mesquineries, le sens profond de l'amour et de ses exigences (II, 1, l. 41-42 ; II, 5, l. 205 à 207 ; III, 6, l. 91 à 101 et l. 131 à 133 ; III, 7, l. 103-104). Mais il est alors trop tard.

Face à Perdican, pourtant plus âgé qu'elle, Camille — jeune fille — est forte de l'expérience d'une femme, amie de couvent. Cette expérience (II, 5) et la certitude de son pouvoir de séduction (II, 5 et III, 6) la font triompher aisément — de prime abord — des balourdises du jeune homme. Elle est habile à le coincer dans des impasses (I, 3 ; II, 1 ; II, 5 ; III, 6 ; III, 7) et à marquer sa victoire de manœuvrière implacable (III, 6, l. 96 et suivantes).

Rosette est d'une autre « trempe ». Elle n'a pas la formation intellectuelle de Camille ou de Perdican. Du reste, ces derniers ne se font pas faute de le rappeler, celui-ci pour s'en féliciter avec une insistance un peu pénible (III, 3 ; III, 6 et III, 7), celle-là avec le mépris non dissimulé d'une future grande dame (III, 6 et III, 7, encore). Rosette ignore l'art de feindre et ne conçoit pas que d'autres puissent la tromper, surtout le fils du seigneur du village (III, 6, l. 26-27). Elle est embarquée dans une affaire qui la dépasse (III, 7) et marche à la mort d'amour avec une pureté qui fait mal (III, 7, l. 85 à 92). C'est pour elle vraiment que le proverbe-titre de l'œuvre prend toute sa résonance tragique. D'une manière ou d'une autre, on sait très bien que Camille et Perdican se remettront de cette crise, grâce au monde auquel ils appartiennent ; pour Rosette, la seule issue à l'amour trahi et à l'honneur bafoué est la mort. Et elle meurt, effectivement.

La fonction du chœur

Dans quatre des dix-huit scènes de la pièce (I, 1 ; I, 3 ; I, 4 et III, 4), un personnage, baptisé le chœur par Musset, intervient pour commenter à chaud les événements qui se déroulent. On peut s'interroger sur l'utilité de ce personnage collectif, qui semble incarner la troupe de paysans qui l'entoure en étant leur porte-parole. Étant donné la concentration de ses interventions à l'acte I (c'est-à-dire dans la partie de la pièce qui était probablement rédigée ou en canevas développé avant le voyage à Venise), on pourrait y voir une invention comique de Musset, rapidement oubliée devant l'urgence du drame à peindre avec les souvenirs encore chauds de la crise vénitienne : il n'y avait pas de chœur dans le séjour où Musset, Sand et Pagello venaient de parcourir quelques-uns des cercles les plus infernaux des passions humaines.

Ainsi le chœur fournit-il, surtout à l'acte I, un contrepoint comique aux actions et aux paroles des grotesques. Le ton ne s'élève ensuite que pour déplorer de manière prémonitoire (III, 4) le danger couru par Rosette. C'est, à ce moment-là, la fraternité de classe des paysans qui s'exprime, face aux jeux dangereux des seigneurs, et Rosette ne se fera pas faute, à son humble façon, de le rappeler à Perdican et à Camille (III, 7, l. 85 à 92).

Un théâtre de la cruauté

Il semble bien en effet que l'œuvre ait changé de sens ou de portée en cours de rédaction, après la cassure de Venise entre Sand et Musset. Ce qui commençait comme un aimable badinage à la Marivaux – quoi qu'on en dise, nul ne meurt, chez ce dernier – prend soudain, à partir de l'acte II, des allures de cruauté et de brutalité sentimentale exacerbées.

« Les Liaisons dangereuses » de Camille et de Perdican

Le XVIIIe siècle français a découvert, avec le libertinage des roués, la plus rude école sentimentale que l'on ait jamais connue en littérature française (elle culminera, d'une certaine manière, avec D.A.F. de Sade). Or, dès la scène 5 de l'acte II, Camille et Perdican s'affrontent autour de problèmes amoureux avec un cynisme qui n'est pas très loin de celui de Valmont et de Mme de Merteuil dans *les Liaisons dangereuses* (1782) de Choderlos de Laclos.

Camille aborde la question du mariage avec un langage et selon une problématique de femme, non d'une jeune pensionnaire sortie du couvent. Même si Musset a pris soin de lui donner dix-huit ans, on reste abasourdi – comme Perdican lui-même, d'ailleurs (III, 1, l. 13-14) – devant le ton cavalier et sans complexes, voire sans retenue, adopté par la jeune fille dans ses questions à son cousin (II, 5). Camille y parle froidement – du moins en apparence et dans l'absolu d'un cas d'école – de changer d'amant comme on change de robe ; Perdican semble trop heureux de rentrer dans ce jeu de cynisme sentimental (II, 5, l. 92 à 100) qui lui évite de se remettre lui-même en question. C'est ensuite la même

Camille — autre ressource de la littérature d'analyse, jusqu'à *René* compris — qui envoie la lettre à son amie Louise au couvent, pour lui rendre compte d'une sorte de mission accomplie ou de pari gagné (III, 3) : on croirait lire un billet de Valmont rendant compte à la marquise de Merteuil d'une séduction froidement calculée et menée à son terme (III, 2, l. 96 à 104). On en arriverait presque à supposer, à ce degré d'amoralisme, des relations plus qu'amicales entre Louise et Camille...

Mis brutalement en présence de tant de rouerie féminine, le dadais Perdican, infatué jusque-là de sa réussite de « blouson doré », mesure sa balourdise et décide d'adopter le même ton et le même jeu (III, 3). Mais il a besoin pour cela d'une auxiliaire involontaire (alors que Camille n'a eu besoin de personne, ce qui a fait sa force), et c'est à ce moment-là qu'il ajoute un degré de perversion supplémentaire dans le jeu trouble qu'il engage avec Camille. On ne saurait parler pour l'instant de corruption de Rosette par Perdican, mais nous ne sommes pas très loin d'un abus de pouvoir : Perdican profite de sa situation de jeune seigneur du lieu et de son charme évident pour attirer la malheureuse paysanne dans une aventure qui la dépasse visiblement (III, 3, l. 30, 53-54 et 65). Que dire de la sincérité du jeune homme dans sa déclaration à Rosette, puisqu'il a pris soin de « convoquer » Camille pour qu'elle assiste à la scène ?

Les scènes 6 et 7 de l'acte III marquent l'apogée de ce jeu cruel du trompeur trompé, spirale vertigineuse qui entraîne Rosette sans que Perdican ni surtout Camille semblent beaucoup s'en préoccuper : l'évanouissement de la jeune paysanne est commenté de manière tragi-comique pendant cinq bonnes minutes avant que l'on ne songe à lui porter secours (III, 6, l. 135-136) ; même son prétendu fiancé reste d'un calme inquiétant devant la « petite mort » de celle qu'il prétend aimer et épouser à la place de Camille.

La requête pathétique de Rosette à la scène 7 ne fait que

renforcer Perdican dans l'entêtement d'une passion purement cérébrale, qui prépare plus sûrement que tout la mort de l'innocence. Quant à Camille, elle parle de Rosette – sa sœur de lait, pourtant – comme d'une tierce personne méprisable, sorte de poupée que l'on manie et console à sa guise (III, 7, l. 51 à 55 et 93 à 96). On croirait entendre encore Valmont ou Merteuil parlant de Sophie Volanges.

La cruauté des sentiments

Plus que tout peut-être, c'est bien cette froideur de la passion égoïste à l'égard d'autrui qui fait d'*On ne badine pas avec l'amour* une pièce étrangement cynique et cruelle. On peut passer assez vite, en effet, sur les trivialités courantes à propos de l'usure des sentiments dans le mariage (II, 5, l. 120 à 137) ou de l'évocation grandguignolesque des désenchantées des couvents (II, 5, l. 254 à 268). Cela est tout au plus de la mauvaise rhétorique, aussi bien chez Camille que chez Perdican.

Plus inquiétante serait déjà la désinvolture blasée avec laquelle Perdican donne une tranquille leçon de dépravation mondaine à Camille (II, 5). Lorsque celle-ci le questionne avec cynisme sur ses aventures amoureuses antérieures et fait mine de le « consulter » en amie sur la conduite qu'elle doit tenir vis-à-vis de ses futures relations sentimentales, toute émotion authentique semble avoir disparu de l'esprit et du cœur des deux jeunes gens, qui parlent comme de vieux briscards d'une partie de chasse à la bécasse. La relation amoureuse devient, dans leurs propos, répétition mécanique de sensations et de plaisirs stéréotypés faite, semble-t-il, pour combler un vide existentiel qui se creuse de désillusion en désillusion. C'est du moins l'impression que donne Perdican, au nom de l'expérience... de ses vingt et un ans.

Mais le plus dur est probablement l'indifférence phénoménale des deux protagonistes vis-à-vis de leur entourage, et surtout de celle qui va mourir. Il faut vraiment attendre la dernière minute de la pièce, alors que l'irréparable est accompli et que les deux jeunes gens en ont la confuse certitude, pour que des paroles de regret — très générales — soient prononcées par Camille : « ... tout cela est cruel » (III, 8, l. 46 à 48), et pour que Perdican s'en remette à Dieu tout en essayant de se disculper encore : « ... Nous avons joué avec la vie et la mort ; mais notre cœur est pur ; ne tuez pas Rosette, Dieu juste ! » Relevons au passage que le jeune homme n'a pas eu le courage d'aller dans la galerie derrière l'autel, où le cri de mort a été entendu. Dans ce moment de tension suprême, « sous le regard de l'éternité », l'égoïsme monstrueux le dispute à l'inconscience pour faire de la scène finale une apothéose de cruauté glaciale et tragique qui reste longtemps en mémoire.

Musset dans son œuvre ?

D'où vient donc cette atmosphère de crise de plus en plus lourde au fur et à mesure que la pièce avance, alors que les premières scènes sont de franche comédie (I, 1 et 2) ? On s'attendrait plutôt, après quelques passes molièresques de dépit amoureux, à un marivaudage élégant entre gens du beau monde, avant le mariage arrangé dans la joie générale. Or, le lecteur est plongé dans une tension sentimentale qui va s'exacerbant, jusqu'à la tragédie finale. Il faudrait évoquer sans doute à ce propos deux séries d'éléments : d'une part, les souvenirs de George Sand, pour l'élaboration du personnage de Camille ; d'autre part, la crise vénitienne et les correspondances échangées après celle-ci, pour la dureté des rapports amoureux entre Camille et Perdican.

Aurore Dupin, préfiguration de Camille

George Sand a raconté, dans le troisième volume de l'*Histoire de ma vie,* les souvenirs du couvent où elle avait passé une partie de son enfance. Nul doute qu'elle ait à l'occasion confié quelques-uns de ses souvenirs à Musset, puisque plusieurs passages évoquent très directement des personnages, des mentalités et des situations que l'on retrouve à peine transformés dans *On ne badine pas avec l'amour.*

Ainsi, la sœur Louise de la pièce (II, 5) a sans doute comme prototype une Mme Marie-Xavier qui avait beaucoup impressionné George Sand.

Mme Marie-Xavier était la plus belle personne du couvent, grande, bien faite, d'une figure régulière et délicate ; elle était toujours pâle comme sa guimpe, triste comme un tombeau.

Elle se disait fort malade et aspirait à la mort avec impatience. C'est la seule religieuse que j'aie vue au désespoir d'avoir prononcé ses vœux. Elle ne s'en cachait guère et passait sa vie dans les soupirs et dans les larmes. Ces vœux éternels, que la loi civile ne ratifiait pas, elle n'osait pourtant aspirer à les rompre. Elle avait juré sur le saint sacrement ; elle n'était pas assez philosophe pour se dédire, pas assez pieuse pour se résigner. C'était une âme défaillante, tourmentée, misérable, plus passionnée que tendre, car elle ne s'épanchait que dans des accès de colère, et comme exaspérée par l'ennui. On faisait beaucoup de commentaires là-dessus. Les unes pensaient qu'elle avait pris le voile par désespoir d'amour et qu'elle aimait encore ; les autres, qu'elle haïssait et qu'elle vivait de rage et de ressentiment [...]. Elle communiait cependant comme les autres, et elle a passé, je crois, une dizaine d'années sous le voile. Mais j'ai su que, peu de temps après ma sortie de couvent, elle avait rompu ses vœux et qu'elle était partie, sans qu'on sût ce qui s'était passé dans le sein de la communauté. Quelle a été la fin du douloureux roman de sa vie ? A-t-elle retrouvé libre et repentant l'objet de sa passion ? Avait-elle ou n'avait-elle point une passion ?

George Sand, *Histoire de ma vie,* 1855.

La trouble exaltation mystico-érotique de Camille à propos de l'Époux divin (II, 5) n'est pas sans rappeler à son tour les émois religieux de la jeune Aurore Dupin au moment de sa première communion, pour ses quinze ans (Camille en a quatorze lorsqu'elle rencontre pour la première fois sœur Louise).

Je sentis que la foi s'emparait de moi, comme je l'avais souhaité, par le cœur. J'en fus si reconnaissante, si ravie, qu'un torrent de larmes inonda mon visage. Je sentis encore que j'aimais Dieu, que ma pensée embrassait et acceptait pleinement cet idéal de justice, de tendresse et de sainteté que je n'avais jamais révoqué en doute, mais avec lequel je ne m'étais jamais trouvée en communication directe ; je sentis enfin cette communication s'établir soudainement, comme si un obstacle invincible se fût abîmé entre le foyer d'ardeur infinie et le feu assoupi dans mon âme. Je voyais un chemin vaste, immense, sans bornes, s'ouvrir devant moi ; je brûlais de m'y élancer. Je n'étais plus retenue par aucun doute, par aucune froideur [...]. « Oui, oui, le voile est déchiré, me disais-je, je vois rayonner le ciel, j'irai. »

Les formules consacrées ne me suffisaient pas, je les lisais pour obéir à la règle catholique, mais j'avais ensuite des heures entières où, seule dans l'église, je priais d'abondance, répandant mon âme aux pieds de l'Éternel, et, avec mon âme, mes pleurs, mes souvenirs du passé, mes élans vers l'avenir, mes affections, mes dévouements, tous les trésors d'une jeunesse embrasée qui se consacrait et se donnait sans réserve à une idée, à un bien insaisissable, à un rêve d'amour éternel.

C'était puéril et étroit dans la forme, cette orthodoxie où je me plongeais, mais j'y portais le sentiment de l'infini. Et quelle flamme ce sentiment n'allume-t-il pas dans un cœur vierge ! Quiconque a passé par là sait bien que nulle affection terrestre ne peut donner de pareilles satisfactions intellectuelles. Ce Jésus, tel que les mystiques l'ont interprété et refait à leur usage, est un ami, un frère, un père, dont la présence éternelle, la sollicitude infatigable, la tendresse, la mansuétude infinie ne peuvent se comparer à rien de réel et de possible ; je n'aime pas que les religieuses en aient fait leur époux. Il y a là quelque chose qui doit servir d'aliment au mysticisme hystérique, la plus répugnante des formes que le mysticisme puisse prendre. Cet amour idéal pour le Christ n'est sans danger que dans l'âge où les passions humaines sont muettes. Plus tard, il prête aux aberrations du sentiment et aux chimères de l'imagination troublée.

Ouvrage cité.

Enfin, la vocation religieuse apparemment si ardente de Camille est très proche de celle que George Sand dit avoir éprouvée dans son couvent de jeunesse, à la suite d'entretiens avec une certaine sœur Hélène.

Frappée comme d'un contact électrique, je lui pris les mains et m'écriai : « Vous êtes plus forte dans votre simplicité que tous les docteurs du monde, et je crois que vous me montrez, sans y songer, le chemin que j'ai à suivre. Je serai religieuse ! – Tant mieux ! me dit-elle avec la confiance et la droiture d'un enfant : vous serez sœur converse avec moi, nous travaillerons ensemble. »

Il me semble que le ciel me parlait par la bouche de cette inspirée. Enfin j'avais rencontré une véritable sainte comme celle que j'avais rêvée. Mes autres nonnes étaient comme des anges terrestres, qui, sans lutte et sans souffrances, jouissaient par anticipation du calme paradisiaque. Celle-ci était une créature plus humaine et plus divine en même temps. Plus humaine, parce qu'elle souffrait, plus divine, parce qu'elle aimait à souffrir [...]. Elle était exaltée jusqu'au délire sous une apparence froide et stoïque. Quelle nature puissante ! Son histoire me faisait frissonner et brûler. Je la voyais aux champs, écoutant comme notre *grande pastoure* [allusion à Jeanne d'Arc] les voix mystérieuses dans les branches des chênes et dans le murmure des herbes. Je la voyais [...] seule et debout sur le chemin, froide comme une statue et le cœur percé cependant des sept glaives de la douleur, élevant sa main hâlée vers le ciel et réduisant au silence, par l'énergie de sa volonté, toute cette famille gémissante et frappée de respect.

« Ô sainte Hélène, me disais-je en la quittant, vous avez raison, vous êtes dans le vrai, vous ! Vous êtes d'accord avec vous-même. Oui ! Quand on aime Dieu de toutes ses forces, quand on le préfère à toutes choses, on ne s'endort point en chemin ; on n'attend pas ses ordres, on les prévient ; on court au-devant des sacrifices. Oui ! vous m'avez embrasée du feu de votre amour et vous m'avez montré la voie. Je serai religieuse ; ce sera le désespoir de mes parents, le mien par conséquent. Il faut ce désespoir-là pour avoir le droit de dire à Dieu : "Je t'aime !" Je serai religieuse... »

Ouvrage cité.

L'amour par lettres, après Venise

Après la rupture vénitienne (voir p. 9-10), Musset rentre à Paris seul en mars 1834 et, poussé par son entourage, il se remet à la composition d'*On ne badine pas avec l'amour,* qu'il avait abandonnée. Il reçoit alors, le 15 avril, une lettre de son « infidèle », dont la tonalité et certaines idées se retrouveront transposées dans la pièce.

Oh ! mon enfant, mon enfant ! que j'ai besoin de ta tendresse et de ton pardon ! Ne parle pas du mien, ne me dis jamais que tu as eu des torts envers moi. Qu'en sais-je ? Je ne me souviens plus de rien, sinon que nous avons été bien malheureux et que nous nous sommes quittés. Mais je sais, je sens que nous nous aimerons toute la vie avec le cœur, avec l'intelligence, que nous tâcherons, par une affection sainte, de nous guérir mutuellement du mal que nous avons souffert l'un pour l'autre, hélas non ! ce n'était pas notre faute, nous suivions notre destinée, et nos caractères plus âpres, plus violents que ceux des autres, nous empêchaient d'accepter la vie des amants ordinaires. Mais nous sommes nés pour nous connaître et nous aimer, sois-en sûr...

George Sand.

À peine un mois plus tard, nouvelle lettre de Sand : cette fois, ce n'est pas seulement une atmosphère d'ensemble que l'on retrouve, mais tout un ensemble de phrases que Musset réutilise telles quelles pour la fin de la tirade de Perdican, à la scène 5 de l'acte II (l. 310-311).

C'est en vain que tu cherches à te retrancher derrière la méfiance, ou que tu crois te mettre à l'abri par la légèreté de l'enfance. Ton âme est faite pour aimer ardemment, ou pour se dessécher tout à fait. Je ne peux pas croire qu'avec tant de sève et de jeunesse tu puisses tomber dans l'auguste permanence, tu en sortirais à chaque instant, et tu reporterais malgré toi, sur des objets indignes de toi, la riche effusion de ton amour. Tu l'as dit cent fois, et tu as eu beau t'en dédire, rien n'a effacé cette sentence-là, il n'y a au monde que l'amour qui soit quelque chose. Peut-être est-ce une faculté divine qui se perd et qui se retrouve, qu'il faut cultiver ou qu'il faut acheter par des souffrances cruelles, par des expériences douloureuses [...]. Mais ton cœur, mais ton bon cœur, ne le tue pas, je t'en prie. Qu'il se mette tout entier ou en partie dans toutes les amours de ta vie, mais qu'il y joue toujours son rôle noble, afin qu'un jour tu puisses regarder en arrière et dire comme moi : « J'ai souffert souvent, je me suis trompé quelquefois ; mais j'ai aimé. C'est moi qui ai vécu, et non pas un être factice créé par mon orgueil et mon ennui... »

George Sand.

Le phénomène inverse semble également s'être produit. Une lettre non datée de Musset à Sand – peut-être de février 1835, selon les commentateurs – reprend des propos de Perdican à Rosette (III, 3, l. 70-71). Musset y raconte à sa déchirante amie un prétendu rêve qu'il a fait.

Alors tu m'as mis à côté de toi, et tu as arrangé tes papiers ; tu me disais toujours, voilà toute ma vie revenue, il faut me traiter en convalescente, je vais renaître, et, en disant cela, tu écrivais ton testament.

Moi, je me disais : « Voilà ce que je ferai ; je la prendrai avec moi pour aller dans une prairie ; je lui montrerai les feuilles qui poussent, les fleurs qui s'aiment, le soleil qui réchauffe l'horizon plein de vie ; je l'assoirai sur du jeune chaume, elle écoutera, et elle comprendra bien ce que disent tous ces oiseaux, toutes ces rivières avec les harmonies du monde – elle reconnaîtra tous ces milliers de frères, et moi pour l'un d'entre eux ; elle nous pressera sur son cœur ; elle deviendra blanche comme un lys, et elle prendra racine dans la sève du monde tout-puissant. »

Alfred de Musset.

Musset, la pièce et la critique

Le comique des grotesques

Nos personnages se divisent d'eux-mêmes en deux groupes distincts : les personnages de chair et les personnages de bois, les hommes et les marionnettes. Il semble que Musset ait divisé l'humanité en deux parties : d'un côté, les personnes douées de sensibilité, d'intelligence, d'esprit, de l'autre, les êtres vulgaires, bornés, absurdes ; d'un côté, ceux que l'auteur aime, estime, fréquente, de l'autre, ceux qu'il méprise, rabaisse, écarte et dont il ne se soucie que pour s'en divertir. Des premiers, il a fait les protagonistes de ses drames. Les autres sont les fantoches qui se croisent avec eux dans l'intrigue. [...]

Commençons par les pantins, les grotesques. Ils sont les moins compliqués, et leur idéale simplicité fait la part la plus claire de leur originalité. De tout temps, certes, des personnages bouffons sont montés sur des théâtres, se sont montrés dans des parades, ont fait la joie des parterres et des badauds. Musset, nous l'avons vu, n'a pas créé les siens de toutes pièces, et Shakespeare, Marivaux et d'autres ont contribué à les lui inspirer. Mais elle est bien de lui, cette raideur, cette sobriété méprisante avec laquelle il les a dessinés. Ils représentent l'élément inintelligent, inerte, glacé, et piteusement pauvre auquel s'est heurtée cette nature si extraordinairement douée, si active, si chaude, si riche. Il a présenté la sottise et le vice humain dans toute leur vulgarité, et il en a démesurément grossi les traits. C'est de la caricature obtenue au moyen de quelques coups de crayons énormes et rectilignes, sans estompages, ni demi-teintes. Ce sont des pantins de bois sommairement articulés, aux gestes francs et saccadés qui se voient et se comprennent de très loin. Tels qu'ils sont, ils comportent une puissance de comique considérable, qui tient tout à la fois à la vérité des traits choisis, à la simplicité des raccords, à la netteté et à l'intensité des grossissements.

Léon Lafoscade,
le Théâtre d'Alfred de Musset, Nizet, 1966.

On ne badine pas avec l'amour est le chef-d'œuvre de Musset au théâtre, la pièce la plus originale et la plus complète qu'il ait écrite par le mélange de la vérité et de la fantaisie. La verve du poète s'est égayée à créer les figures grotesques de dame Pluche, la respectable haridelle qui sert de gouvernante à Camille, de dom Blazius et du curé Bridaine, ces deux sacs à vin. Et le chœur formé des paysans qui ont vu grandir Perdican, qui l'ont fait danser sur leurs genoux, qui ont vieilli depuis ce temps-là, mais qui se souviennent, et que, lui non plus, Perdican n'a pas oubliés, ce chœur symbolique personnifie les souvenirs d'enfance, ces liens mystérieux et si doux qui nous rattachent au sol natal. C'est dans cette pièce que se trouve le fameux couplet sur l'Amour qui transfigure l'humanité. Cela est au centre du théâtre et de toute l'œuvre de Musset. C'est toute sa philosophie de la vie. On souffre par l'amour. Mais il faut avoir aimé. Il en reste la fierté d'avoir rempli sa destinée. Et il en reste le souvenir élargi et épuré.

René Doumic, *Histoire de la littérature française*,
publiée sous la direction de Petit de Julleville, tome VII, 1899.

« Le théâtre de Musset dévore le temps »

La première poésie de Musset est donc le pressentiment d'une plénitude, le sentiment d'une imminence ; poésie de jeunesse et de la jeunesse, poésie du plaisir ou plutôt de l'élan vers le plaisir, qui rappelle singulièrement celle des vrais maîtres de Musset, c'est-à-dire des petits-maîtres du XVIIIe siècle. Mais alors que ceux-ci, un Voltaire, un Bertin, un Boufflers, croient pouvoir capter instantanément cette chose instantanée qu'on nomme bonheur, la poésie de Musset ne peut se résigner à attendre le moment qui va lui donner son objet. Elle s'élève, elle éclate en une sorte de conscience douloureuse de n'être pas encore ce qu'elle va être, elle est le sentiment d'impatience folle et de soif extrême qu'on éprouve à l'instant où la coupe ne touche pas encore les lèvres, où l'on est torturé par l'angoisse de savoir s'il est sûr que le désir se transforme en plaisir. Ainsi toute la pensée de Musset se condense dans une sorte d'intervalle temporel où il se peut que la durée change, que le moment se transmue en un autre ; et c'est cette anticipation, cette espérance aiguë qui lui donnent une vie pareille à un battement de cœur, à un bondissement de l'être, à une prise de conscience de soi rapide et précipitée entre le temps où l'on n'était, où l'on n'avait rien, et celui où l'occasion et l'amour peuvent tout donner.

Georges Poulet,
Études sur le temps humain, tome II, Plon, 1952.

S'il dévore l'espace, le théâtre de Musset dévore aussi le temps, parfois pour les mêmes raisons. L'esthétique classique et la bénédiction de Boileau n'y sont pour rien. En revanche, la rage de vivre et d'aimer à mort sont des explications plus essentielles. Toute une vie tient dans les deux ou trois actes brefs d'une comédie. [...]

La chronologie interne des événements est plus desserrée dans *On ne badine pas avec l'amour* et l'air des choses y circule : trois jours, – un par acte –, rythmés ou plutôt identifiés par les heures des repas. Il est vrai que Blazius et Bridaine, « deux formidables dîneurs », ont une horloge dans l'estomac et qu'ils sont, en bons dessus de pendule, chargés d'annoncer l'heure du dîner. Mais on retrouve, indépendamment de cette chronologie desserrée, la même structure haletante que dans *les Caprices de Marianne :* ici, quatre rencontres entre Octave et Marianne et l'épilogue du cimetière ; là, cinq entrevues entre Camille et Perdican et le faux apaisement de l'oratoire. Le crescendo des passions et des périls tient le spectateur en haleine sans lui laisser le loisir de regarder passer le temps. [...]

On ne badine pas avec l'amour, pièce solaire, maintient son chant d'été aussi longtemps qu'il est possible ; mais l'ombre fraîche de l'oratoire et la dureté de ses « dalles insensibles » préparent ce « froid mortel » qui paralyse soudain Perdican et occultent le signe solaire du parcours des « enfants insensés », ce « vert sentier » à « pente douce » qui les amenait l'un vers l'autre. [...]

Poète de la course du temps, Musset ne l'est pas moins de son suspens. Chacun de ses héros semble porter en soi la nostalgie d'un temps immobile, d'une heure éblouissante liée à la magie d'un lieu et qu'on ne revit pas deux fois : une tonnelle où l'on boit du lacryma-christi, une petite fontaine dans un bois, un ciel étoilé qu'on interroge de concert.

Bernard Masson, Préface d'*On ne badine pas avec l'amour*, Flammarion, coll. « G.F. », 1988.

Du théâtre dans un fauteuil ?

Musset a écrit *On ne badine pas avec l'amour* – comme la plupart de ses pièces – pour la lecture plutôt que pour la représentation. Mais les metteurs en scène du XXe siècle se sont souvent passionnés pour la mise en scène de cette œuvre.

Ce qui caractérise toute la pièce, c'est l'incompréhension absolue de l'un et l'autre. Qu'est-ce que cette pièce ? C'est la recherche de l'amour, la déclaration de l'amour, du sentiment de l'amour chez des êtres jeunes qui n'ont pas encore aimé. La pièce est dans cette phrase de Perdican : « Comme j'avais prévu tout cela quand tu t'es arrêtée devant le portrait de notre vieille tante ! » C'est la scène du deuxième tableau. Mais il n'y a rien dans cette scène ! On ne sait pas la jouer. Il faudrait des heures pour l'expliquer, mais, ce sont peut-être des êtres qui se sont aimés, sans le savoir, depuis l'enfance. Pour Camille, l'homme, c'est Perdican, pour Perdican, la femme, c'est Camille. Et brusquement, un soir, après avoir été séparés pendant sept ans, ils se retrouvent dans ce salon, ils ne se reconnaissent plus. Ils ont une attitude qui ne correspond pas du tout à ce qui a précédé. Il y a un malentendu. Et pendant les vacances, ils vont essayer de s'expliquer et n'y arriveront pas. Ce malentendu va se préciser jusqu'au drame. [...]

C'est cela l'orgueil de Perdican et l'orgueil de Camille, parce qu'elle veut aimer et ne veut pas souffrir. C'est le problème, le malentendu le plus beau et le plus essentiel de l'humanité, c'est le malentendu chez l'homme et la femme au sujet de l'amour. C'est cela qui est étonnant chez des êtres jeunes. Le type qui a quarante-cinq ans, se dit : je vois de quoi il s'agit, je vais arranger ça. Tandis qu'un type jeune... C'est le malentendu de l'adolescence. Et c'est pour cela que Perdican et Camille sont de beaux personnages.

Dans tout le théâtre, les plus beaux personnages sont des adolescents, et quand un grand auteur touche un grand sujet, ses personnages sont des êtres jeunes : Roméo et Juliette, Jacqueline et Fortunio, c'est pour cela que les personnages de Musset sont magnifiques. Ce sont des êtres qui entrent dans la vie et qui veulent comprendre, qui se buttent. C'est aussi ce qu'il y a dans Marivaux, seulement dans Marivaux ils ont déjà de l'éducation. Marivaux a fait cela pour montrer des personnages conscients qui cependant rêvent à l'amour. Ce sont tout de même des adolescents, qui usent un peu du mensonge pour mieux nous montrer ce qu'ils sont.

Camille et Perdican, c'est le problème des adolescents. Il faut donner cela dans l'inconscience, et que le subconscient soit évident tout de même. Il faut que ce soit des enfants.

Louis Jouvet, *Tragédie classique et théâtre du XIXᵉ siècle,* Gallimard, 1968.

Le théâtre de Musset a consciemment, volontairement, été pris par la bourgeoisie française de la fin du XIXᵉ siècle pour ce qu'il n'était pas. Et moi, depuis longtemps, je pense que l'on peut y voir, en lisant le texte de très près, un tableau beaucoup plus cru de la vie et de la jeunesse. Musset y dit tout de la révolte, de ses ambitions et de ses limites. Il aspire à un monde différent, qui remplacerait la médiocrité ambiante. Quelle troublante proximité avec notre époque ! Et comment alors les jeunes gens d'aujourd'hui pourraient-ils rester indifférents à de tels propos ? [...]

Jeunesse qui s'interroge et tourne en rond. Or que raconte Musset ? Des histoires de surdoués qui, à 20 ans, savent déjà tout du monde et ne trouvent pas les remèdes pour utiliser leurs capacités. Parce que leur époque ne leur offre pas ces possibilités-là.

Interview de Jean-Pierre Vincent pour *le Nouvel Observateur,* n° 1406, du 17 au 23 octobre 1991.

Avant ou après la lecture

Dissertations

1. Commenter et discuter ce jugement de Pierre Gastinel (1933) : « Camille, la plus complexe des héroïnes de Musset, celle qui s'explique le plus longuement, est pourtant celle qui reste la plus mystérieuse. »

2. En appréciant l'ensemble de la pièce, examiner la pertinence de cette appréciation du critique Émile Lafoscade (1901) : « Les trois tendances de l'esprit du XVIIIe siècle qui ont le plus influé le théâtre de Musset sont l'élégance et le dévergondage des mœurs, le scepticisme religieux, l'étude raffinée de l'amour. Il est une pièce où on les retrouve toutes les trois, et c'est là peut-être le chef-d'œuvre dramatique de Musset : nous voulons parler d'*On ne badine pas avec l'amour.* »

Commentaires composés

1. Faire un commentaire composé du monologue de la scène 2 de l'acte II. Après avoir dégagé l'atmosphère générale et le plan rhétorique, analyser l'élégie (voir p. 156) aux vertus de la cuisine et de la cave du baron, la louange du « haut bout » de la table et la chute aussi grandiloquente que surprenante.

2. À la fin de la scène 5 de l'acte II, Perdican se livre à une longue tirade « coupée » de brèves répliques de Camille. Proposer un commentaire d'ensemble de ces lignes (243 à 311) en s'attachant plus spécialement aux images employées par le jeune homme.

3. Présenter un commentaire composé sur l'ensemble des scènes 6 et 7 de l'acte III, en s'intéressant plus spécialement au jeu du chat et de la souris des deux protagonistes, ainsi qu'au langage qui révèle le fond de leur nature.

Exposés

1. Masque et vérité dans *On ne badine pas avec l'amour*.

2. Amour, libertinage et cruauté dans la pièce.

3. Rechercher dans *les Liaisons dangereuses* quelques lettres de Valmont et de la marquise de Merteuil pour en faire un rapprochement avec les jeux tactiques de Camille et de Perdican.

4. Romantisme et classicisme dans *On ne badine pas avec l'amour*.

5. Réalisme et abstraction dans la pièce.

6. Comparer le rôle du chœur dans *On ne badine pas avec l'amour* et dans une tragédie grecque classique.

Mises en scène

1. Proposer une mise en scène à plateau tournant pour chacun des trois actes de la pièce.

2. Les propos de Rosette sont presque aussi peu nombreux que les indications scéniques de l'auteur. Étudier le personnage dans l'ensemble de la pièce pour en proposer une évolution, depuis l'apparition à la croisée (I, 4) jusqu'au « cri derrière l'autel » (III, 8).

3. Les confrontations entre Camille et Perdican sont évidemment les scènes clefs de la pièce ; en proposer des mises en espace — avec des déplacements et des jeux de scène aussi précis que possible — dans la perspective d'une « dramatique » télévisée.

4. À partir des remarques de Louis Jouvet (voir p. 148), caractériser les jeux respectifs de Camille et de Perdican sur l'ensemble de la pièce.

Ouverture

1. Théâtre, cinéma, télévision ou « lecture radiophonique » ? Confronter ces diverses possibilités de représentation pour *On ne badine pas avec l'amour,* éventuellement sous la forme de grilles comparatives pour chacune des scènes.
2. Rechercher les musiques qui pourraient accompagner chacune de ces « représentations ».

Bibliographie

Édition

Théâtre complet d'Alfred de Musset, édition établie et annotée par Simon Jeune, Gallimard, coll. « Bibliothèque de la Pléiade », 1990.

Musset et son théâtre

M. Allem, *Alfred de Musset,* Arthaud, 1948.

P. Gastinel, *le Théâtre d'Alfred de Musset,* Hachette, 1933.

L. Jouvet, *Tragédie classique et théâtre du XIXe siècle,* Gallimard, 1968. Un chapitre est consacré à Musset.

É. Lafoscade, *le Théâtre d'Alfred de Musset,* 1901, rééd. Nizet, 1966, et Slatkine, 1973.

Y. Lainey, *Musset ou la difficulté d'aimer,* S.E.D.E.S., 1978.

B. Masson, *Musset et le théâtre intérieur,* A. Colin, 1974 ; *Théâtre et langage : essai sur le dialogue dans les comédies de Musset,* Minard, 1977.

P. de Musset, *Alfred de Musset, sa vie, son œuvre,* 1877.

J. Pommier, *Variétés sur Alfred de Musset et son théâtre,* Nizet, 1944.

G. Poulet, *Études sur le temps humain,* tome II, « La distance intérieure », Plon, 1952, rééd. Presses Pocket, 1989. Un chapitre est consacré à A. de Musset.

J.-P. Richard, *Études sur le romantisme,* Le Seuil, 1970. Un chapitre est consacré à A. de Musset.

P. Soupault, *Alfred de Musset,* Seghers, 1966.

M. Toesca, *Alfred de Musset ou l'Amour de la mort,* Hachette, 1970.

F. Tonge, *l'Art du dialogue dans les comédies en prose d'Alfred de Musset,* Nizet, 1967.

P. Van Tieghem, *Musset, l'homme et son œuvre,* Boivin, 1944, rééd. Hatier, 1969.

Petit dictionnaire pour commenter *On ne badine pas avec l'amour*

accumulation *(n. f.) :* succession de mots ou groupes de mots pour mettre une idée en valeur. Ex. : « Tous les hommes sont menteurs, inconstants, faux, bavards, hypocrites, orgueilleux ou lâches, méprisables et sensuels » (II, 5, l. 298 à 300).

action *(n. f.) :* ce qui se passe dans une pièce, un roman, un film, etc. ; façon dont les événements s'enchaînent.

adjectif substantivé : adjectif employé comme nom par adjonction d'un article. Ex. : « le vide » (II, 5, l. 201-202).

alliance de mots : voir « oxymoron ».

allitération *(n. f.) :* répétition, dans une phrase, de consonnes ayant une sonorité semblable. Ex. : « la pluie du matin roule en perles » (III, 3, l. 45).

amplification *(n. f.) :* développement d'une idée ou d'un sujet par des procédés stylistiques. Ex. : II, 5, l. 262 à 265.

anacoluthe *(n. f.) :* rupture de construction dans la syntaxe d'une phrase. Ex. : II, 5, l. 238-239.

analogie *(n. f.) :* rapport entre des idées, des choses ou des personnes qui présentent des caractères communs tout en étant essentiellement différentes ; ressemblance, similitude.

anaphore *(n. f.) :* répétition d'une même formule ou d'une même construction en tête de plusieurs groupes de mots. Ex. : la reprise du « vous » en tête de phrase (II, 5, l. 207 à 216).

antinomie *(n. f.)* : contradiction entre deux idées, deux principes ou deux propositions. Ex. : « Elles sont sorties... vierges et pleines d'espérances. Elles sont revenues... vieilles et désolées » (II, 5, l. 147 à 149).

aparté *(n. m.)* : passage que l'acteur dit pour soi-même et qui, par convention, ne doit être entendu que des spectateurs. Ex. : la réplique du baron (I, 5, l. 14-15).

apostrophe *(n. f.)* : interpellation brusque d'une personne, ou même d'une idée. Ex. : « Ô mon ami ! » (I, 2, l. 47).

asyndète *(n. f.)* : suppression de la coordination ou de la subordination entre des mots ou des propositions, pour donner généralement plus de vivacité au discours. Ex. : « Moi au désespoir de son refus ! Eh ! bon Dieu !... » (III, 2, l. 106).

bienséance *(n. f.)* : désigne ce qui est correct ou convenable en société ; la règle des bienséances du théâtre classique interdisait de montrer sur la scène tout acte violent, vulgaire ou simplement choquant. Musset respecte cette règle lorsqu'il fait mourir Rosette hors de la scène.

bouffon *(adj. qual.)* : ce qui fait rire par les procédés de la farce (clowneries, plaisanteries, etc.).

burlesque *(n. m. et adj.)* : 1. genre littéraire dans lequel un sujet sérieux est traité de manière parodique. 2. d'un comique grossier, voire trivial.

catharsis *(n. f.)* : mot grec qui désigne la théorie selon laquelle le spectateur d'une tragédie doit éprouver de fortes émotions en s'identifiant aux personnages. Ainsi purgé, il sera moins victime de ces mêmes émotions dans la vie réelle.

cénacle *(n. m.)* : réunion d'un petit groupe d'artistes partageant les mêmes idées, les mêmes conceptions esthétiques. Le « Cénacle » désigne les auteurs regroupés autour de Victor Hugo.

chiasme *(n. m.)* : figure de rhétorique obtenue par croisement de termes dans deux membres de phrase parallèles, là où l'on attendait la répétition du même ordre. Ex. : « Y croyez-vous, vous qui parlez ? » (II, 5, l. 207)

classicisme *(n. m.)* : théorie littéraire et artistique qui repose sur un idéal d'équilibre et de respect des normes. Le classicisme puise ses sources dans les œuvres de l'Antiquité et est incarné en France par le siècle de Louis XIV (Molière, La Fontaine, Racine, Corneille, etc.).

dénouement *(n. m.)* : fin d'une pièce de théâtre, d'un roman ou d'une nouvelle, d'un film et issue des conflits qui y ont été représentés.

diatribe *(n. f.)* : discours contenant une critique violente et acerbe. Ex. : la tirade de Camille (II, 5, l. 207 à 228).

didascalie *(n. f.)* : indication de jeu ou de décor de scène donnée par l'auteur lui-même.

double langage : discours utilisé dans l'intention de délivrer un message ayant un premier sens, clair, et un second sens, caché. Ex. : les propos de Perdican dans la scène 3 de l'acte III.

dramatique *(adj.)* : 1. qui fait progresser l'action d'une pièce ou d'un roman (« drame » vient d'un mot grec qui signifie précisément « action »). 2. a pris aussi le sens de : dangereux, triste, effrayant.

économie *(n. f.)* : ordre qui préside à l'organisation d'une scène, d'une acte ou d'une pièce considéré(e) dans son ensemble.

élégie *(n. f.)* : pièce lyrique au ton souvent tendu et triste.

emphase *(n. f.)* : emploi plus ou moins volontaire de termes au sens très fort pour exagérer l'expression d'une idée et lui donner plus d'ampleur. Ex. : « Que feras-tu de cette fille-là, maintenant, quand elle viendra, avec tes baisers ardents sur les lèvres, te montrer en pleurant la blessure que tu lui as faite ? » (III, 6, l. 116 à 119).

exposition *(n. f.)* : passage ou scène(s) au début d'une œuvre littéraire, destiné(es) à donner au lecteur (ou au spectateur) les informations nécessaires pour qu'il comprenne la situation des personnages.

farce *(n. f.)* : genre théâtral utilisant des effets comiques assez simples et parfois vulgaires (mimiques, coups de bâton, grands gestes, etc.). Ex. : la scène 5 de l'acte I.

grotesque *(n. m. ou adj.)* : 1. genre littéraire (et artistique en général) caractérisé par le goût du bizarre, du bouffon et de la caricature. 2. type de personnage qui fait rire par son apparence bizarre, burlesque (ex. : dame Pluche).

hyperbole *(n. f.)* : mise en valeur d'une idée (souvent d'extrême grandeur ou d'extrême petitesse) par l'exagération, l'excès. Elle peut tomber dans l'emphase (voir ce mot) ou la boursouflure. Ex. : II, 5, l. 271 à 276.

ironie tragique : procédé par lequel un auteur fait dire ou faire à ses personnages des choses qui auront l'effet inverse de celui qu'ils attendent.

litote *(n. f.)* : atténuation d'une expression pour faire comprendre plus qu'on ne dit en réalité. Ex. : « Je ne suis pas assez jeune pour m'amuser de mes poupées, ni assez vieille pour aimer le passé » (I, 3, l. 72-73).

lyrisme *(n. m.)* : expression vive, dans un style poétique et élevé, des sentiments personnels. Ex. : la tirade de Perdican (III, 3, l. 44 à 52).

métaphore *(n. f.)* : figure de style où l'on emploie un mot à la place d'un autre en se fondant sur une comparaison implicite, une analogie. Ex. : dans la phrase « On n'a pas flétri ta jeunesse » (III, 3, l. 48), la jeunesse est implicitement comparée à une fleur.

métonymie *(n. f.)* : trope (voir ce mot) qui remplace, dans une expression, un terme par un autre appartenant au même ensemble et qui lui est uni par un lien logique (cause pour effet, abstraction pour symbole, etc.). Ex. : « blessure », utilisé à la place de « mal » (III, 6, l. 118).

oxymoron ou **oxymore** *(n. m.)* : alliance de mots apparemment contradictoires pour mettre en valeur une idée paradoxale. Ex. : « chuchoter à une vierge des paroles de femme » (II, 5, l. 282).

paradoxe *(n. m.)* : idée contraire à l'opinion commune, ou expression de cette idée. Ex. : « il y a au monde une chose sainte et sublime, c'est l'union de deux de ces êtres si imparfaits et si affreux » (II, 5, l. 304-305).

parodie *(n. f.)* : imitation destinée à faire rire d'une œuvre sérieuse.

pastiche *(n. m.)* : œuvre dans laquelle on imite exactement le style et la structure d'une œuvre existante, dans une intention souvent critique et moqueuse.

pathétique *(adj.)* : qui provoque chez le spectateur ou le lecteur une émotion forte, un sentiment violent ou passionné, le mettant en « sympathie » avec l'auteur ou les personnages. Ex. : la scène 6 de l'acte III est pathétique lorsque Rosette, cachée, entend la déclaration de Perdican à Camille.

péripétie *(n. f.)* : événement imprévu et remarquable survenant dans le cours d'un récit. Ex. : la lettre de Camille surprise à la scène 2 de l'acte III.

personnification *(n. f.)* : représentation d'une réalité inanimée par une personne. Ex. : II, 5, l. 286-287.

rebondissement *(n. m.)* : suite inattendue d'un événement, qui relance l'intrigue et l'action.

redondance *(n. f.)* : répétition expressive — et parfois excessive — d'une idée ou d'un mot. Ex. : les images de sang dans la tirade de Perdican (II, 5, l. 254 à 260).

romantisme *(n. m.)* : mouvement artistique et courant de pensée. Né en Allemagne et en Angleterre au XVIIIe siècle, il apparaît en France, en Italie et en Espagne au XIXe siècle. Le romantisme s'élève contre le pouvoir de la seule raison. Lui préférant la libre expression du moi et de la sensibilité, il revendique la fuite dans le rêve, l'exotisme, le fantastique ou le passé.

satire *(n. f.) :* texte critique et moqueur qui attaque les vices, les ridicules, etc., de manière plus ou moins acerbe.

saynète *(n. f.) :* 1. petite pièce comique espagnole. 2. en France, courte pièce, de sujet anodin, comportant peu de scènes et peu de personnages (on parlerait aujourd'hui plus volontiers de « sketch »).

trope *(n. m.) :* figure de rhétorique portant sur un seul mot, comme la métaphore (partiellement), la métonymie, etc. (voir ces mots).

Collection fondée par Félix Guirand en 1933, poursuivie par Léon Lejealle de 1945 à 1968, puis par Jacques Demougin jusqu'en 1987.

Nouvelle édition
Conception éditoriale : Noëlle Degoud.
Conception graphique : François Weil.
Coordination éditoriale : Emmanuelle Fillion et Marianne Briault.
Collaboration rédactionnelle : Laurence Coyard et Nathalie Amar.
Coordination de fabrication : Marlène Delbeken.
Documentation iconographique : Marianne Prost.
Schéma et dessins p. 14 : Thierry Chauchat.

Sources des illustrations
Agence de presse Bernand : p. 26, 40, 44, 48, 52, 67, 77, 89, 92, 96, 111.
Élise Palix : p. 112.
Larousse : p. 10, 12, 22.
Lauros-Giraudon : p. 5, 16.

COMPOSITION : SCP BORDEAUX.
IMPRIMERIE HÉRISSEY. – 27000 ÉVREUX. – N° 67449.
Dépôt légal : Mai 1992. – N° de série Éditeur : 18364.
IMPRIMÉ EN FRANCE *(Printed in France).* 871344 N-Février 1995.